[英国] 柯南·道尔 著
喵博士 改编

大侦探福尔摩斯

SHERLOCK HOLMES

回忆录

译林出版社

人物档案

华生

华生——医生，伦敦大学医学博士，福尔摩斯的最佳拍档。他用心记录下福尔摩斯精彩的破案过程，并公之于世。

福尔摩斯

福尔摩斯——闻名世界的大侦探，居住在英国伦敦的贝克街221B。他善于通过观察和推理来寻找事件的真相，破案时有如神助，总是能洞察一切。

罗斯上校

罗斯上校——失踪的银色白额马的主人。他为人正直，傲气十足，委托福尔摩斯找回自己丢失的爱马。

珀西医生

珀西医生——一位颇有名望的青年医生，在伦敦城里开了一家诊所。不知为何，诊所的投资人最近惊恐不安，催促他来找福尔摩斯求救。

菲尔普斯

菲尔普斯——华生的老同学，在英国外交部工作。他不小心弄丢了一份绝密的海军作战协定，如果找不回这份协定，那他不仅要被辞退，而且会成为英国的大罪人。

莫里亚蒂教授

莫里亚蒂教授——表面上是个学识渊博的教授，实际上掌握着一个庞大的犯罪团伙，为人邪恶狡诈、阴险狠毒，是福尔摩斯最大的对手。

目录

SHERLOCK HOLMES

Sherlock Holmes

银色白额马

在赛马场上赢得了无数次冠军的银色白额马离奇失踪，驯马师约翰惨遭杀害。案发现场疑点重重，十分诡异。警方迟迟找不到银色白额马的踪迹，只好求助于大侦探福尔摩斯。福尔摩斯能否查出真凶，找回这匹宝马呢？

“华生，走，去金斯皮兰驯马场。”福尔摩斯急匆匆地对华生说。

华生从餐桌前抬起头，两眼发光地问道：“呀！是去调查**银色白额马失踪案**吗？”

这是最近震惊英国的一个奇案。案件的主角是一匹非常有名的赛马，它在一场重大比赛前的某一天突然失踪了，而它的驯马师约翰也惨遭杀害。伦敦警方，也就是苏格兰场，早已介入调查。

福尔摩斯回答道：“你说对了，我们现在就得去赶火车！哦，带上你那副顶呱呱的**双筒望远镜**。”

一个小时后，两人坐上了火车。福尔摩斯靠着椅背，说：“华生，看来你对银色白额马失踪案已经了解一些了。”

华生点点头，说：“嗯，有关这个案件的新闻报道我都看了。你有线索了吗？”

“嗯，我们还是先回顾一下**案情**吧。”福尔摩斯俯身向前，用他细长的食指在另一只手的手掌上边敲边说，“银色白额马今年五岁，有着高贵的血统。它战绩辉煌，在赛场上获得过无数次冠军，是这次跑马大赛的夺冠热门。那位被杀害的**驯马师**名叫约翰。他结婚了，和妻子一起住在马厩附近的一幢小别墅里。他们没有小孩，家里只有一个女仆。约翰已经为这匹马的主人罗斯上校服务了十几年。约翰手下有三个养马人，一个住在马厩里，另外两个睡在马厩旁边的草料房里。马厩那一带人烟稀少，只有零星的几栋别墅。不过，马厩往西几公里处，还有另外一个驯马场。周边的情况大概就是这样。”

华生立刻提问：“事发当晚谁在现场？”

“那天晚上跟平常一样，训练结束后，一个名叫亨特的养

马人留在马厩守夜。晚上九点多，驯马师约翰家的女仆去给亨特送饭，快到马厩时，一个**陌生人**叫住了她。”

华生听到这里，顿时警觉起来，问道：“那人是谁？是不是凶手？”

福尔摩斯扯了一下嘴角，回答道：“亲爱的华生，你先不要急，听我慢慢说。”于是，接下来福尔摩斯把案情的详细情况都告诉了华生。

那个陌生人大概三十岁，头戴呢帽，身穿灰色花呢外套，脚蹬高筒靴，手里拿着一根粗重的**圆头拐杖**。他一看到女仆就急切地问：“这里是什么地方？”

“先生，这里是金斯皮兰驯马场。”女仆回答道。

“啊，**银色白额马**就是这个驯马场的吧？太好了！看来我的运气不错！”陌生人从口袋里掏出一张纸，放到女仆手里。他神秘地说：“你是去给养马人送饭的吧？能不能把这个交给他？放心，我不会让你白帮忙的。”

女仆被他**突如其来**的举动吓坏了，惊叫着躲开他，跑到养马人亨特窗前。亨特打开窗户，女仆正要跟亨特说话，那个陌生人却阴魂不散地跟了过去，探头探脑地跟坐在窗前的亨特打招呼：“晚上好啊！”

“你来这里有什么事？”亨特没好气地说。

“嘿嘿，我有一个赚钱的好机会要告诉你。”那人笑嘻嘻地说，“听说你这里有两匹马要参加即将举行的跑马大赛，如果你能透露一点儿**内幕消息**给我，让我知道哪匹马赢的机会更大，嘿嘿，这个就归你了……”他扬了扬手里的那张纸。

“原来是个该死的**赛马探子**！”亨特怒目圆睁，大吼起来，“让你看看赛马探子在我们这里会有什么下场吧！”他冲到马厩的另一边，把里面的狗放了出来。但等他带着狗冲出去时，那人已经不见了。

华生听到这里，忍不住问道：“亨特出门的时候，有没有

把门锁上？”

福尔摩斯赞许地看着他说：“这是个很好的问题。我已经发电报确认过了，他出门前锁好了门，而且马厩的窗户非常小，外面的人不可能钻进去。”

福尔摩斯接着讲述案情。

陌生人来驯马场打探消息的事情被报告给了驯马师约翰。约翰知道后，一直**坐立不安**。凌晨一点的时候，他实在忍不住了，从床上爬了起来，要去马厩查看情况。当时外面正下着大雨，他不顾妻子的劝阻，披上雨衣就冲出了家门。

第二天早上七点，他妻子起床时，发现他一夜未归，急忙叫上女仆一起赶去马厩。到了马厩，她们俩发现马厩的大门敞开着，守夜的亨特倒在地上不省人事，而驯马师约翰**不知所终**。她们俩同时发现，银色白额马也不见了踪影。她们俩连忙叫醒那两个正在熟睡的养马人，大家一起到附近寻找。结果，他们在野外的金雀花丛上，发现了驯马师约翰的大衣，而驯马师约翰也找到了，他倒在不远处，已经**没有了呼吸**。但是没有人发现银色白额马的踪影。

华生懊恼地皱了皱眉，问道：“哎呀，驯马师就是在那里遇害的啊？尸体检查过了吗？”

“当然。他们发现驯马师约翰的额头遭到重击，大腿上有一道刀伤。他的右手握着一把**小刀**，刀柄上的血已经凝固了；左手呢，紧握着一条黑红相间的领带。女仆一眼就认出来了，那条领带就是那个陌生人的。”

华生感到非常惊讶。福尔摩斯继续说道：“除此之外，他们还在尸体旁发现了银色白额马的**马蹄印**，这说明案发时，那匹马也在旁边。至于那个养马人亨特，医生化验了他吃剩的晚饭，发现里面含有大量的**麻醉药**，显然是有人给他下了药。那天晚上，他吃的是驯马师约翰家里做的咖喱羊肉。”

华生一边思考，一边说："这么看来，最可疑的就是那个赛马探子了。"

福尔摩斯点了点头，说："是的。他叫辛普森，现在已经被苏格兰场逮捕了。但是他坚决否认自己杀害了驯马师，还反复强调自己只是去打探情报的。你可能还记得，驯马师的额头受过重击，而辛普森刚好随身带着一根**沉重的手杖**。而且，辛普森解释不清楚自己的领带为什么会在死者手里。所以，警方推断，那晚是他给守夜的亨特下了药，因为他想把银色白额马从马厩里偷走，而那条领带就是他打算用来套在马嘴上的。正在他偷马的时候，驯马师来了，两人大打出手，辛普森用手杖敲破了驯马师的脑袋。可是，按照这个推论，有一个**细节**没法解释。"

"什么细节？"

福尔摩斯用手指敲了敲桌子，说："就是驯马师手里的刀。他的刀上有血，说明他一定伤到了什么人，但辛普森身上没有任何刀伤——"

"等等！"华生突然想到了什么，激动地说，"驯马师自己腿上不是有一道伤口吗？也许是当时搏斗太激烈，他一不小心划伤了自己的腿。"

“华生，你推断得很有道理。”福尔摩斯赞叹道。他扭头看向火车的车窗外，说：“待会到了现场之后，我们看能不能找出更多线索。”

火车抵达案发的小镇时，已经是傍晚了。站台上有两个人在那里等着他们。

其中一位身材高大，面容清秀，一双淡蓝色的眼睛**炯炯有神**，他是负责此案的格雷警探，在苏格兰场小有名气。另一个人身材矮小，穿着礼服大衣，戴着金边眼镜，留着胡子，看起来十分机警。他是罗斯上校，也就是**大名鼎鼎**的银色白额马的主人。正是他们俩邀请福尔摩斯来协助破案的。

“福尔摩斯先生，真高兴你能来。”上校握着他的手说，“希望能尽快找到真凶，同时能找回我的爱马。”

福尔摩斯点点头，望向一旁的格雷警探，说：“案情有新的进展吗？”

格雷警探摇了摇头，说：“很遗憾，没什么进展。我们不如上车后再慢慢谈。”

四个人坐上一辆宽敞的马车，慢慢穿过这个古老的小镇。格雷警探迫不及待地聊起了案子：“那个辛普森十有八九就是凶手！”

福尔摩斯提出了他自己之前没有想明白的细节：“如果是这样的话，驯马师腿上的刀伤，还有他自己手里那把刀上的血迹，又是怎么回事呢？”

“应该是他倒地时自己不小心划伤的。”格雷警探说。

福尔摩斯笑了笑，说：“我的朋友华生医生也是这样推断的。”

格雷警探赞许地看了华生一眼，说：“现场几乎所有证据都指向辛普森，我们已经准备把他送上法庭了。”

福尔摩斯却摇了摇头，说：“在我看来，这个案子还有很多疑点。第一，辛普森杀了人之后，把银色白额马藏在哪里了？这匹马这么有名，要想彻底隐藏起来，绝不是件容易的事。第二，辛普森是怎么打开马厩大门的？在他身上找到钥匙了吗？还有，刚开始他为什么要让女仆交给养马人一张纸条？”

格雷警探不紧不慢地给出了答案：“那匹马也许被他藏在野外的某个地方了。钥匙嘛，他身上倒是没有，可能是用完后就扔了。至于那张纸条，是一张十英镑的纸币，他原本打算拿来贿赂亨特，打探情报的，后来我们在他钱包里找到了那张纸币。”

“那条领带呢？”

格雷警探耸了耸肩，说：“他承认那条领带是他的，但他解释不清楚为什么自己的领带会出现在案发现场……”

福尔摩斯突然打断他，问：“我听说这附近**还有一个驯马场**，是不是？”

格雷警探点点头，说：“对，是梅普利顿驯马场，驯马师叫布朗。他们也有实力强劲的赛马要参加这次跑马大赛。银色白额马失踪，对他们相当有利。但我们去那个驯马场查过了，没有找到失踪的马，也没有发现驯马师布朗跟这个案子有什么关系。”

马车行驶在乡间的小路上，几分钟后，在一幢小别墅前停了下来。放眼望去，四周是平缓起伏的荒原，枯萎的古铜色的凤尾草一直延伸到天边。远处依稀有些房屋散布在荒原之上。

其他人都陆续跳下马车，福尔摩斯却还靠在座位靠背上出神地想着什么。突然，他两眼发光，似乎是想到了什么**重要线索**。

华生走过去，碰了碰他的胳膊，他才突然回过神来，迅速跳下马车，对格雷警探说："我想看看驯马师约翰的**遗物**，可以吗？"

"没问题，我带你过去吧。"

一行人走进别墅大门。客厅中间的桌子上摆着一个方形的盒子，里面装着驯马师约翰的遗物：

一盒火柴、一根蜡烛、一个烟斗、一袋烟丝、几张纸，还有一把精致的象牙柄的小刀。

福尔摩斯拿起小刀，仔细打量了一会儿，说："这应该就是他弄伤自己的那把刀吧？真是够小巧的。华生，你很熟悉这种刀吧？"

华生仔细看了一眼，说："咦，这不是医院用来做眼睛手术的**手术刀**嘛！"

福尔摩斯喃喃道："他为什么要在雨天带这样一把小刀出门呢？这显然不适合当防身的武器。"

格雷警探解释道："他妻子说，这把刀本来是放在梳妆台上的。也许当时没有比它更合适的武器，就顺手带上了吧？"

"噢，那几张纸是怎么回事？"

"有草料商的收据，有罗斯上校发给他的指示信，哦，还有一张女装店开具的**账单**。”

福尔摩斯凑过去看了看，问道：“奇怪，这账单上怎么写着威廉先生的名字？驯马师不是叫约翰吗？”

格雷警探回答道：“这个我们问过了。约翰的妻子说，威廉是约翰的好朋友，他的信件有时会寄到这里来。”

“呵呵，威廉太太的这件衣服可不便宜啊！三十七英镑呢！”福尔摩斯**若有所思**地看着账单说，“好了，我们现在去案发现场吧。”

他们来到案发现场，一件挂在金雀花丛上的大衣立刻引起了福尔摩斯的注意。他盯着大衣看了一会儿，说：“这衣服可不像被风吹上去的，应该是有人挂在这里的。”

接着，他又蹲下去仔细检查周围的泥土。不一会儿，他举起一根烧了半截的**火柴**，说：“你们看！”

格雷警探定睛一看，懊恼地说：“哎呀，我怎么没注意到有这玩意儿！”

福尔摩斯头也不抬地说：“它埋在泥土里，不容易被发现。不过，如果事先设想过，现场可能会有一根火柴，那么，找到它就不难了。”

格雷警探惊叹道：“什么？你是有意寻找这根火柴的？”

这时，等在旁边的罗斯上校不耐烦地看了看表，催促道：“格雷警探，我们先走吧！我还有些事情需要你帮忙。唉，按这种查案效率，我的银色白额马在比赛前大概是找不回来了，我得把它从参赛的名单里删掉！”

福尔摩斯大声说道：“不，没这个必要！我保证，银色白额马一定会出现在赛场上。”

罗斯上校用怀疑的眼光看着他说：“如果是那样的话，就太好了！”

罗斯上校和格雷警探先离开了。夕阳西下，晚霞给广阔的平原染上一层金色。福尔摩斯却无心欣赏这绚丽的夕阳美景，完全沉浸在自己的思绪中。

突然，他开口了：“华生，马是合群的动物。如果银色白额马在这里走失，最有可能的就是跑到附近的另一个驯马场去。出事那天晚上下着大雨，没准我们能找到它留下的**马蹄印**。”

华生忍不住反驳道：“可是，已经过去好几天了，附近的地面都干了啊！”

福尔摩斯笑着指了指前方，说：“你看那里！去另一个驯马场的路上，有一条长长的洼地，去看看那里有没有留下什么痕迹。”

两人快步走向那片洼地。果然，他们发现了一串非常清晰的**马蹄印**。福尔摩斯从衣服口袋里掏出刚从格雷警探那里要来的银色白额马的马蹄铁，和地上的马蹄印一对照，**完全吻合**！

华生惊喜地喊出声来：“对上了！对上了！”

福尔摩斯也面露喜色：“格雷警探什么都好，就是缺了点想象力。破案时，往往需要先在脑子里设想一下，当时的场景可能会是什么样的，接着再按照假设来寻找证据。你看，马蹄印是这么找出来的，刚才泥地里的半截火柴也是如此。”

两人沿着马蹄印一路向前，逐渐接近了另一个驯马场，也就是梅普利顿驯马场。到了这一带，马蹄印旁边出现了一个男人的**脚印**。

华生叫了起来：“啊！有人发现了银色白额马，会不会就是他把马牵走的？”

“很有可能。”

让人意外的是，他们接下来发现马蹄印和人的脚印在中途曾经一起掉头，走向了银色白额马的家的方向，也就是金斯皮兰驯马场，但走了一段路，又重新转向梅普利顿驯马场。

福尔摩斯和华生就这样循着马蹄印，一直走到了梅普利顿驯马场的马厩门口。一个养马人拦住了他们，问："有什么事吗？"

福尔摩斯礼貌地说："我要是明早五点来拜访驯马场的主人布朗先生，他会接待我吗？"

养马人回答道："大概会吧。那时候他已经起来了。他是我们这里最早起床的。哦，真巧，他出来了。"

一个**凶神恶煞**般的老人大步走了过来，声音洪亮地喊道："怎么回事？你们两个到这里来干什么？我们这里闲人免进！"

福尔摩斯**彬彬有礼**地回答道："先生，我有些事要和你聊聊，十分钟就好。"

"我没时间听你废话，这里不欢迎陌生人，快走开！不然我就放狗咬你们了。"

福尔摩斯平静地看着他，说："你真希望我当着所有人的面**说出真相**吗？"

老人顿时像泄了气的皮球，耷拉着脑袋拉长了脸说：“那好吧，请进来说话吧。”

福尔摩斯走进驯马场，二十分钟后，两人一起出来了。老人脸色煞白，**战战兢兢**地一再保证：“一定照办，一定照办！我保证不会出半点儿纰漏。哦，先生，对了，我……需要对它做什么改变吗？”

福尔摩斯想了想，随即放声大笑道：“不用了。不过，你要是再敢耍花招……”

“不敢了，不敢了！什么都听您的！”

告别了这位布朗先生，华生忍不住问：“银色白额马真是被他拐走的？警察之前怎么没发现呢？”

“哈哈，像他这种**诡计多端**的老手，有的是办法把马伪装起来。”

“原来如此！”总算找到了马，华生也松了一口气，“我们接下来做什么，去追查杀害驯马师约翰的凶手吗？”

然而，福尔摩斯的回答却让华生**大吃一惊**：“不，我们今晚就回伦敦。”

华生一头雾水地跟着福尔摩斯回到驯马师约翰的别墅。罗斯上校听说福尔摩斯要走，轻蔑地撇了撇嘴，说：“你不会是没有信心找到凶手，直接放弃了吧？”

福尔摩斯不以为然地耸了耸肩，说：“找出凶手是有些难度，不过我可以保证，您的爱马一定能准时参加星期二的比赛。”

接着他又转向格雷警探，说：“麻烦给我一张驯马师约翰的照片。”

格雷警探从信封里抽出一张照片递给他。福尔摩斯坐上马车前，突然转头问道：“你们驯马场的**绵羊**都是由谁来照料的？”

“是我，先生。”一个养马人回答道。

“最近你有没有注意到它们有什么**不对劲的地方**？”

“嗯……最近确实有件奇怪的事，有三只羊的腿莫名其妙地瘸了。”听到这个答案，福尔摩斯咧嘴笑了一下，又扭头对格雷警探说：“还有一件事值得注意。那天夜里，狗也有些**反常**。按理说，有陌生人进来偷马，它应该会叫得很凶。但睡在附近的养马人都没有听到狗叫。”

格雷警探茫然地挠了挠头。

四天后，跑马大赛的日子到了。比赛即将开始，赛场上热闹非凡。罗斯上校一见到福尔摩斯，就面色阴沉地说：“你保证过，我的银色白额马会来参赛，可我连它的影子都还没见到呢！”

福尔摩斯从容地回答道：“上校先生，如果它出现在您面前，您能认出它来吧？”

罗斯上校气恼地叫了起来：“我怎么可能认不出自己的马？它的额头是白色的，右前腿毛色斑驳。连小孩子都认识！”

“比赛开始了！比赛开始了！”场上的人们开始欢呼。一匹匹身姿矫健的赛马在赛场上飞奔。“一匹、两匹、三匹……”华生大喊，“哎呀，六匹马都出场了！”

罗斯上校惊呼道：“什么？六匹都出来了？我的银色白额马呢？它在哪里？”

正说着，一匹**枣红色的马**从他们面前飞驰而过。罗斯上校再次大喊起来：“这……这红衣服的骑手，不是我们家的吗？可是，他骑的不是银色白额马啊！这匹马的身上连一根白毛都没有！福尔摩斯，你到底在搞什么鬼啊？”

福尔摩斯没有回答，他镇定自若地举着华生的**双筒望远镜**，望向热火朝天的赛场，说：“哦，你看它跑得多快啊！太棒了！”

罗斯上校目瞪口呆地看着场上的赛马。他的红衣骑手驾

驭的那匹马，正在不断地超越对手。赢了！赢了！那匹马率先冲过终点，夺得了冠军。

场上欢呼声、掌声**此起彼伏**。罗斯上校抹着额头上的汗，两眼发光地说："我认出来了，它是我的银色白额马。只有它才会跑得这么漂亮！"

罗斯上校迫不及待地冲下看台，找到他的马。福尔摩斯和华生也跟了上去。上校惊叹不已："哦，天哪，福尔摩斯，这到底是怎么回事？"

福尔摩斯笑了笑，说："这匹马是被人**伪装**成这样的。我找到了它，然后自作主张地把它送到了赛场。您只要把它清洗一下，就能看到它的真面目啦！"

"天哪！这真是太神奇了……"上校简直不敢相信自己的眼睛，"你真是帮了我一个大忙！唉，要是你能再抓到杀害驯马师约翰的凶手，那就更好了！"

"我已经找到了。"福尔摩斯冷不丁地说了这么一句，就像扔下了一个重磅炸弹。

他平静地注视着上校，说："这个凶手，现在就在我们中间。"

"什么？"上校看了看华生，又看了看福尔摩斯，脸都涨红了。他生气地说："福尔摩斯先生，尽管你帮我找回了爱马，但也不能这么侮辱我吧？你竟然说我是凶手？"

福尔摩斯忍不住大笑起来："哈哈，我说的可不是您！上校，真正的凶手就站在您身后呢！"说完，他慢慢地走过去，把手搭在银色白额马光滑的脖颈上。

"不会吧？"华生和上校两人同时惊呼，"凶手是**这匹马**？"

"不错，真正的凶手就是它！它为了自卫而杀了驯马师约翰。"福尔摩斯遗憾地摇了摇头说，"唉，上校，您的驯马师根本不值得您信任哪！"

福尔摩斯给大家揭露了事情的真相："刚开始我也以为辛普森就是凶手，但问题出在那道菜上——**咖喱羊肉**。要知道，麻醉药的味道很重，如果加在味道淡的菜里，吃的人一下就能闻出来。可是守夜的亨特毫不疑迟地就吃掉了，这是因为咖喱味掩盖住了麻醉药的味道。所以，选择咖喱羊肉这道菜并不是随机的，而是特意安排好的。能这么安排的，显然不会是辛普森。那会是谁呢？当然是驯马师约翰家的人！"

听了福尔摩斯的解释，上校和华生**恍然大悟**地点了点头。

"此外，马厩中养着一条狗。可是，格雷警探告诉我，出事的那晚，另外两个养马人就睡在附近的草料房里，可他们都没有听到狗叫声。这说明牵走银色白额马的是熟人，很可能就是驯马师，所以狗才没叫。”

上校**豁然开朗**，说道：“对对对，太对了！”

“但驯马师把马牵走，到底是要干什么呢？这时，我想到了那把**小刀**。它是一把精巧的手术刀，根本不适合用来防身。所以，驯马师随身携带这把刀肯定有**别的意图**。”

福尔摩斯转向上校，说：“您知道吧？如果在马的后腿上划一道浅浅的小伤口，外表上根本看不出来，但会大大影响它的比赛成绩。驯马场那几只瘸腿的绵羊，其实是驯马师在实施阴谋之前，拿来练手的。他是故意要让自己的马跑输。至于原因嘛，显而易见，他肯定是下了很大的赌注，来赌自己的马输掉比赛。一旦马跑输了，他就能赢得一大笔钱。”

上校气得满脸通红，大声咆哮道：“太可恶了！亏我那么信任他，他怎么能这么做！”

福尔摩斯接着说：“你们还记得那张女装店的**账单**吧？账单上写的名字是威廉先生，也就是说，这位威廉先生买了一件昂贵的女士衣服。我带着驯马师约翰的照片去那家女装店打听过。老板一下就认出来了，驯马师约翰其实就是所谓的威廉先生。他给另一个女人买了这件昂贵的衣服。那是个奢侈的女人，开销很大，让他背上**满身债务**，走上了这条不归路……”

“那……辛普森的**领带**又是怎么回事？”华生提出疑问。

“应该是辛普森在仓促离开的时候不小心遗落在马厩的吧。”福尔摩斯解释道，“驯马师约翰捡到了它，大概是想用它来绑住马腿。”

“难怪他口袋里会带着蜡烛和火柴，也是为了实施阴谋做的准备？”

“是的，华生。”福尔摩斯轻叹了口气说，“但他没想到，他划燃火柴的那一瞬间，银色白额马受到了**惊吓**。出于动物的本能，马儿抬起腿重重踢到了他的额头。他倒下去的时候又不小心被刀划伤了大腿。至于那件大衣，是为了做事方便，他事先脱下来挂在金雀花丛上的。整个事情经过就是这样。”

上校听完后忍不住赞叹道：“你说的就像亲眼所见一样，真是太厉害了！不过，还有一件事情……你是在哪里找到银色白额马的？”

“是您的一位邻居‘好心’收留并照料了它。”福尔摩斯笑着摆了摆手说，“这个就不要计较了，马儿回来了就好。”

古老的贵族典礼

华生和福尔摩斯收拾屋子的时候，找出了一箱很久之前的案件手稿，手稿上记录的一个案子让福尔摩斯印象深刻。这桩案件发生时，福尔摩斯还没有搬来贝克街。有一天，他的一个大学同学突然找上门来，说自己家里发生了一连串连警察也毫无头绪的怪事……

那时，华生还没有结婚，他和福尔摩斯同住在贝克街221B的一栋公寓里。一个冬天的晚上，他们俩坐在壁炉前，炉火正熊熊燃烧着。华生环顾四周，感到心烦意乱。这位大侦探乱扔东西的习惯实在太让人头疼了。他经常把烟叶放在波斯拖鞋里，把化学药品放在装着黄油的盘子里……最让人伤脑筋的是他那些案件的**手稿**，堆得到处都是，桌子上、地板上……

华生忍不住叹了一口气，说：“福尔摩斯，你能不能腾出一两个小时，把咱们的屋子收拾一下？马上就要没地方落脚了。”

福尔摩斯哼了一声，看起来不太高兴。不过，他并没有说什么反驳的话，而是黑着脸走进卧室，拖了一个大号的铁皮箱出来。他打开箱子一看，里面全是成捆的手稿。他眨了眨眼，说：“华生，这里面记录的，都是我们认识之前发生的案件。现在，你是想让我把外面的手稿收进去呢，还是把里面的手稿拿出来？”

华生笑了起来。一直以来，他用心记录下福尔摩斯侦破的一个又一个案件。正因为如此，福尔摩斯的故事才能被世人所知。其实，华生早就想知道这位大侦探以前侦破的那些案子了。见到这大半箱的手稿，他抑制住内心的激动之情，清了清嗓子，说：“咳咳，福尔摩斯，这些……就交给我整理吧！对了，这里面有什么特别**有趣的故事**吗？”

福尔摩斯轻手轻脚地拿出一捆又一捆手稿，说：“这是俄国老妇人历险案，这是铝制拐杖奇案……啊，这个案子还挺新奇的，你看！”

福尔摩斯取出了一个**小盒子**，里面装着几样东西：**一张皱巴巴的纸、一把铜钥匙、一根缠着绳子的木头楔子，还有三枚生锈的硬币**。

华生好奇地凑了过去，问：“这些东西跟案子有关？是个什么样的案子？”

福尔摩斯把这几样东西摆在桌上，懒洋洋地坐回到椅子上，说：“我把这些东西留下来，就是为了纪念这个奇特的案子。这是很久以前的事了，它跟一个**古老的贵族典礼**

有关，是我人生中破获的第三个案子。不瞒你说，就是因为它，我才下定决心走上侦探之路的。”

听到这里，华生更好奇了。原来这是对福尔摩斯影响如此重大的一个案子。

大侦探渐渐陷入回忆之中，他缓缓讲起了当年的故事。

那时，福尔摩斯住在大英博物馆附近，他成天钻研各门学科，就为了将来能派上用场。有一天，有个四年没见的大学同学马斯格雷夫突然到家里来找他。这位同学是英国一个**古老贵族的后裔**，他的长相是典型的贵公子模样：身材瘦削，高鼻梁，大眼睛，整个人看起来温文尔雅。

他迫不及待地告诉福尔摩斯，家里发生了**一系列怪事**，但警察找不出半点线索。因此，他只好试着来找老同学帮忙。

那时，福尔摩斯还很年轻，听到这话，立刻两眼发光，一副摩拳擦掌的样子。他早就想去挑战些高难度的任务，越是警察束手无策的案子，越能让他兴奋。现在，机会来了！

马斯格雷夫眉头紧锁地坐在福尔摩斯对面，向他讲述道：“我家有个聪明能干的管家，名叫布伦顿。这件怪事就跟他有关。管家不到四十岁，但在我家已经待了二十多年。他身材匀称，**眉清目秀**，虽然只是一个普普通通的管家，但是会说好几门外语，还能演奏各种乐器，可以说是个**非常优秀的人**。我还一直没想通，以他的才能，怎么会甘心当别人的管家呢？还真是个安于现状的人啊！对了，他也有缺点，那就是对爱情不专一。几个月前，他刚和一个叫雷切尔的女仆订婚，可没过多久就抛弃了人家，和另一个姑娘好上了。可怜的雷切尔生了一场大病，在床上躺了好几天。”

福尔摩斯果断地切回正题，问道：“这个管家身上，究竟发生了什么？”

马斯格雷夫定了定神，回答道：“上周四晚上，我因为喝了一杯咖啡而失眠，到凌晨两点还睡不着。我心想，要不干脆起床，把一本没读完的小说读完吧。所以我就走出卧室，去找我的那本书。在走廊上，我发现藏书室的大门敞开着，里面还闪着微弱的烛光！我**大吃一惊**，心想，难道是小偷？正好，走廊的墙壁上挂着很多古老的武器，那些都是以

前的战利品。我从里面挑了一把**战斧**，悄悄走到藏书室的门边。你猜怎么着？是管家布伦顿在里面！他坐在椅子上，膝盖上摊着一张纸，好像是**地图**。我看到他镇定自若地打开写字台的抽屉，拿出一份文件，对照着地图，看得非常认真。

“我气得一股血气直冲脑门，提起斧子大步走了进去。他抬头看见我，吓得脸都青了，连忙放下文件，又一把抓起地图揣进了口袋里。我生气地大吼：‘给我出去！你以后不用来工作了！我们家

不需要你这种鬼鬼祟祟的管家。’他被我吼完后，垂头丧气地走开了。”

福尔摩斯突然问道：“那个管家看的是什么机密文件吗？”

马斯格雷夫摊了摊手，说：“就是这点最奇怪，我检查了一下，发现他偷看的东西根本无关紧要。那上面记录的是我们家族的一种古老仪式，每个人成年时都要举行这种仪式，名叫‘**马斯格雷夫典礼**’。”

福尔摩斯若有所思地点了点头，说：“我知道了，你继续说吧。”

“我把抽屉锁上，正要离开藏书室，管家这时竟然又回来了。他看上去非常激动，恳求我说：‘求您千万不要当众赶我走！您知道我最看重脸面。要是就这样离开，那也太丢脸了，我还不如一死了之！您给我一个月的时间吧，到时我会主动离开的。’听他这么求情，我心软了，但是只答应给他一个星期，让他自己编个理由主动辞职。之后两天，他做事比以前更加兢兢业业。到了第三天早上，我起床后没看到他，就让女仆雷切尔帮我把他找来。结果，女仆的反应把我吓了一跳！

“她说：‘布伦顿走了，没错，已经走了！’这个女仆就是之前差点跟布伦顿结婚，但后来被抛弃的那个。她声音颤抖，语气十分激动。说着说着，她突然爆发出一阵可怕的狂笑，然后又扯着嗓子**放声大哭**。我赶紧叫来别的仆人，把她扶回自己

屋里。我想，她可能是因为大病初愈，受不了这么大的刺激才这样的吧。”

福尔摩斯不置可否地哦了一声。“你们在庄园里仔细搜查过吗？有没有发现什么线索？”福尔摩斯问道。

马斯格雷夫沮丧地摇了摇头，说：“我们仔仔细细地搜了几遍，连管家的影子都没见着。庄园四周的草坪上、小路上也没有他的脚印。至于他本人的房间，床铺十分整洁有序，显然前一天晚上没人住过。他的衣服、怀表和钱包都在屋里，靴子也没穿走，只穿了一双拖鞋。”

福尔摩斯思考着说："看来，这位管家出门的时候，没有打算不回来。"

马斯格雷夫叹了一口气，继续说："事情还不止如此呢！管家失踪之后，女仆雷切尔病倒了，她整天躺在床上，歇斯底里地**大哭大闹**。我专门请来护士照顾她。可是，就在失踪案发生的第四天早晨，护士惊讶地发现，病床上的雷切尔不见了！我立刻派仆人出去找，最后在庄园的湖边发现了她的**脚印**。"

福尔摩斯脸色一沉，说："这位可怜的姑娘难道是……"

马斯格雷夫却摇了摇头，说："我们都以为她投湖自尽了，可是，我们在湖里并没有发现她的尸体。我们打捞了很久，最后只捞上来一个**布袋子**，里面装着一些生锈的金属物件，还有一些暗淡无光的水晶和玻璃制品。这下可好了，庄园的失踪案从一件增加到了两件，警察却什么也查不出来。福尔摩斯，你有什么想法吗？任何想法都行！唉，我现在只能是死马当作活马医了！"

福尔摩斯闭上眼睛沉思了一会儿，突然开口说道："马斯格雷夫，我想看一眼那份记载了家族典礼的文件，就是管家偷看的那份。"

马斯格雷夫不以为意地摆了摆手，说："那份文件啊！就是个奇怪的仪式，里面的文字前言不搭后语。你要是想看，我身上就带着一份手抄件。"

马斯格雷夫掏出一份文件递过来。福尔摩斯仔细看了看，发现这所谓的家族典礼其实是一段对话，确实是前言不搭后语。对话是这样的：

"它是谁的？"

"是那个走了的人的。"

"谁应该得到它？"

"那个即将到来的人。"

"太阳在哪里？"

"在橡树上面。"

"阴影在哪里？"

"在榆树下面。"

"怎样测出它？"

"向北十步又十步，向东五步又五步，向南两步又两步，向西一步又一步。就在下面。"

"我们该拿什么换取它？"

"所有的一切。"

“为什么我们要拿出去？”

“因为要守信。”

这份文件写于17世纪，福尔摩斯把这份文件从头到尾看了好几遍。突然，他眼前一亮，猛地抬起头来，说：“这个管家果然很聪明！马斯格雷夫，你们家族这么多年来，难道从来就没有人怀疑过，这份文件可能是藏宝的**暗语**吗？”

马斯格雷夫顿时瞪大了眼睛，问：“藏……藏宝的暗语？”

福尔摩斯点了点头，说：“没错！你家有橡树吗？”

“有，是一棵特别古老的橡树。”

“这就对了，有老榆树吗？”

马斯格雷夫回想了一下，说：“本来有一棵，但它十年前被雷击中后枯死了，我们就把它砍掉了。”

福尔摩斯看起来有点儿兴奋，说道：“完全对得上。我想，管家那天晚上用地图对照这份文件，就是为了确定**宝藏的位置**。嘿，能带我去你家看看吗？”

“没问题！”马斯格雷夫迅速站了起来，“在自己家里寻宝，这听起来也太刺激了！”

不一会儿，两人来到了古老的马斯格雷夫庄园。庄园里的房子呈“L”形，其中短的那一侧是古代留下来的，斑驳的外墙、传统的样式，都深深地打上了历史的烙印。而长的那一侧是后来新盖的房子，庄园里的人平时都住在这一侧。

房子四周环绕着茂密的古树，中间形成了一个幽静的小花园。

福尔摩斯一眼就看到了那棵高大的橡树。至于老榆树，早就不在了，唯一留下的痕迹就是草丛里的一个**树坑**。

福尔摩斯站在树坑里，眯起眼睛望着西边的天空，喃喃道："根据仪式里的对话记录，要在太阳正好升到橡树顶上的时候，去测量老榆树的影子。快看，太阳很快就要升到橡树的树顶了。可问题是，榆树已经没了，怎么测它的影子呢？"

他沉默了一会儿，突然转头看向老同学，问道："你家有没有什么文件记载过这棵**榆树的高度**？"

马斯格雷夫愣了一下，随即高兴地咧开嘴，说："不用什么文件，我现在就可以告诉你，榆树的高度是 64 英尺。我小时候为了学习数学，测算过庄园里每一栋房子、每一棵树的高度。"

"这就好办了。"福尔摩斯也跟着笑了起来，"对了，管家是不是也问过你，这棵树以前有多高？"

马斯格雷夫回忆了一下，惊讶地张大了嘴巴，说："天哪，他的确问过！那是几个月之前的事了。难道他那时候就已经打好如意算盘了？真不可思议！”

他转念一想，又担心起来，问：“福尔摩斯，是要找出榆树**树冠的影子**落在哪里吗？可是只知道榆树的高度，我们要怎么做呢？”

“我有办法。”福尔摩斯气定神闲地走进工具室，找到一小块木头，削成尖尖的楔子，又把一条长绳系在上面，每隔 1 英尺就打一个结。这是福尔摩斯自制的**测量尺**。接着他拿出一根**钓鱼竿**，插在庭院的榆树坑里，太阳照出了钓鱼竿细细长长的影子。接着，他用那根测量长绳仔细地量了一

已知：

（1）鱼竿的长度为6英尺；

（2）鱼竿影子的长度为9英尺；

（3）榆树的高度为64英尺 。

求：榆树影子的长度。

下钓鱼竿的影子，又量了阴影的长度，站起来轻松地说："好了，钓鱼竿长 6 英尺，钓鱼竿的影子长 9 英尺。如果榆树还长在这里，树和影子的比例也是这样的。所以，既然榆树高 64 英尺，那树影子的长度嘛，计算一下就是 96 英尺。"

这时，太阳恰好移到了橡树的顶部。"现在就是测影子的时候了。钓鱼竿的影子，跟老榆树影子的方向一样。"福尔摩斯从树坑开始，沿着**钓鱼竿影子的方向**向前走，手里还拿着那根测量用的长绳。顺着影子走到 96 英尺的位置，他把绑在绳子上的木头楔子钉在了地上。突然，他有些激动地指着旁边的地面，说："你看，这里有一个**小洞**，管家布伦顿肯定来过这里，跟我做过一样的事！"

马斯格雷夫蹲下看了看，忍不住叹了一口气，说："福尔摩斯，你们两个都这么聪明，显得我就像一个蠢材似的。"

福尔摩斯拍了拍他的肩膀，说："仪式里的对话接下来是怎么说的？嗯……向北十步又十步，向东五步又五步，向南两步又两步，向西一步又一步。也就是说，往北二十步，往东十步，往南四步，往西两步。"福尔摩斯认真地按照仪式里说的走了起来，最后，他发现自己走到了一条石板路上，脚下是坚硬的石板，看不出被人挖过的痕迹。福尔摩斯的心猛地一沉，心想："难道我找错了？"

就在这时，马斯格雷夫猛地一拍大腿，大喊起来："在下面！在下面！"

福尔摩斯苦笑着说："这下面不像能挖得动啊……"看着马斯格雷夫的表情，福尔摩斯的眼神也渐渐明亮起来，说道："我明白了，石板路底下是不是有**地下室**？"

马斯格雷夫使劲点了点头，说："是个非常古老的地下室。由于进出这个地下室很不容易，所以我们之前找管家的时候，压根儿没想到这里。"

"快带我过去！"福尔摩斯已经迫不及待了。马斯格雷夫带他来到一个仓库。里面杂乱地堆着许多木头，但是中间被清理出了一条通道，一直通向仓库中央。那里有一块厚厚的石板，上面镶嵌着一个生锈的铁环。那里肯定就是地下室的入口了。让人意外的是，还有一条黑白格子的**围巾**绑在铁环上面。

"天哪！"马斯格雷夫惊叫起来，"这是管家布伦顿的围巾！他肯定来过这里！"

石板很沉。他们叫来两名警察帮忙，才勉强拉着铁环挪开了石板。石板底下是一个黑洞洞的**地窖**。福尔摩斯和马斯格雷夫点亮手提灯，小心翼翼地爬了下去。地下室里放着一个敞开的**木头箱子**，锁孔上还插着一把钥匙。箱子里空荡荡的，只有一些又脏又旧的硬币散落在箱底。

突然，马斯格雷夫大叫了一声："布伦顿！"

福尔摩斯猛然转身，只见箱子旁边有个人蜷缩在那里，一动不动，看来早就死了。他穿着一身黑色衣服，双臂紧紧地抱着箱子。他为什么会死在这里呢？福尔摩斯仔细检查了一下，发现布伦顿的身上没有伤口。那就只剩一种解释了：他被困在地下室里，没有吃的，没有喝的，氧气也不太充足，就这样死了。

福尔摩斯还特地留意了一下，在地下室里并没有看到另一个失踪者——**女仆雷切尔**。在寻找宝藏这件事上，女仆雷切尔和管家布伦顿是不是有什么关联呢?

爬出地下室之后，福尔摩斯站在仓库里，仔细观察着石板周围散落的木头。

马斯格雷夫走过来，擦着额头上的汗，说："福尔摩斯，这一切是怎么回事啊?"

福尔摩斯拿起一根**短木头**，说："你看，这里的一些木头上有被压过的痕迹。"

马斯格雷夫依然一脸茫然的样子。福尔摩斯继续解释道："木头被压是因为被垫在石板底下。这石板太重了，他们没法轻松掀开，只好一个人使劲拉铁环，另一个人往拉开的缝隙里垫木头进去。等到缝隙垫得足够大，他们再改用另一根木头竖着撑住石板。"

福尔摩斯拿起旁边的另一根木头，说："你看，这根木头的底部都裂开了，还磨出了缺口。整块石板的重量都压在这根木头上，所以它才成了这样。这个时候，人就可以从缝隙中爬进去了。"

"我知道了!"马斯格雷夫恍然大悟地说，"布伦顿一个人没法完成这件事，所以他一定有帮手！”

福尔摩斯摸了摸下巴，说：“他的帮手应该就是女仆雷切尔……”

马斯格雷夫急切地问：“那雷切尔现在在哪里？布伦顿又为什么会死在地下室里呢？”

福尔摩斯轻轻叹了一口气，说：“根据我的**推断**，害死布伦顿的人可能正是女仆雷切尔。”

马斯格雷夫愣住了：“这……这怎么可能？”

“让我来还原一下整个事件的经过。”福尔摩斯平静地说，“首先，管家布伦顿知道了记录你们家族仪式的文件上，其实记录着藏宝的暗语。他利用自己的小聪明，找到了宝藏的地点，但是他发现，自己一个人根本掀不开地下室入口处的石板，必须要找一个帮手。这时，他就想到了被他抛弃的雷切尔。他用**花言巧语**哄得雷切尔跟自己重归于好。那天夜晚，两人一起来到了仓库。接着就像我说的那样，他们往石板底下垫了木头，好让布伦顿爬进去。雷切尔在上面等着，帮他把风，并且接收来自地下室的宝贝。没过多久，布伦顿把箱子里的东西都递了出来。这时就有了两种可能性。”

马斯格雷夫眼巴巴地看着福尔摩斯，问道：“哪两种？”

“第一种可能性是，雷切尔在这时突然想到了布伦顿之前是如何狠心抛弃自己的，一股**复仇的怒火**在她心中熊熊燃烧了起来。所以，她疯狂地抽出木头，把布伦顿关在了底下。第二种可能性是，撑着石板的木头偶然滑落，布伦顿是意外被关在里面的，但雷切尔并没有找人来救他。不管是哪种可能性，布伦顿的死都和她脱不了干系。”

马斯格雷夫忍不住打了个冷战，说：“怪……怪不得那天我问她布伦顿的事，她的反应会那么奇怪。”

“雷切尔扔在湖里的，显然就是布伦顿找到的**宝物**。”说到这里，福尔摩斯皱起了眉头，然后继续说道：“至于那些宝物的真面目，我还没有想到。你说过，袋子里只是一些生锈的金属物件、暗淡无光的水晶和玻璃制品，对吗？”

马斯格雷夫攥着一枚从箱子里拿出来的**古老的硬币**，说：“我看，这似乎是查理一世时代的硬币，那些东西会不会也是同时代的？”

福尔摩斯的双眼一下亮了起来，他急切地说：“快带我去看看湖里捞上来的东西！”

他们俩来到书房。马斯格雷夫从布袋子里倒出一堆破铜烂铁，福尔摩斯拿起那个生锈的金属物件，翻来覆去地研究了半天。它原本应该是环形的，但已经折弯扭曲，不再是原来的形状。福尔摩斯用袖子往上面的一块地方使劲摩擦了几下，肮脏的黑锈掉了下来，竟然发出了**璀璨的光芒**！

马斯格雷夫愣住了，呆呆地问：“这……这到底是什么东西？”

福尔摩斯微笑着说：“这是英国国王戴过的**皇冠**。”

马斯格雷夫吓得一屁股跌坐在椅子上，愣了好一会儿才结结巴巴地说：“查理一世的……皇冠？我想起来了！我们家祖先当年确实跟查理一世非常亲近。后来，国内发生战争，查理一世去世，查理二世逃亡，我们家祖先还拼死保护过查理二世……”

“那就完全说得通了。”福尔摩斯把皇冠轻轻放在桌上说，“查理一世去世之后，你家祖先把皇冠保存起来，等待查理二世的回归。正如仪式里说的：‘它是谁的？是那个走了的人的。’这指的是去世的查理一世。‘谁应该得到它？那个即将到来的人。'那人就是查理二世。"

马斯格雷夫小心翼翼地把皇冠装回布袋子里，疑惑地问："那查理二世为什么没来取回皇冠？"

福尔摩斯回答道："大概是你们家族知道这件事的祖先意外去世了，没来得及把典礼中那段暗语的秘密告诉后人。结果，皇冠在地下室里生锈，而那个奇怪的典礼仪式，却在你们家族里被**糊里糊涂**地留传了下来。"

福尔摩斯讲完这个长长的故事，华生忍不住好奇地问："那皇冠后来怎么样了？"

"马斯格雷夫他们家花了一大笔钱打官司，政府才同意把皇冠留在他们家。现在你知道了吧？我面前的这些东西，都和这桩案件有关。"福尔摩斯看着桌上的几枚生锈的硬币、揉得皱巴巴的文件纸，还有缠着长绳的木楔子……

"那……失踪的女仆雷切尔呢？"华生问。

福尔摩斯往后一仰，靠在了椅子上，说："没有人听过她的消息，也许她带着犯罪的记忆逃到国外去了。我想，她这辈子都将生活在恐惧和痛苦中吧。"

驼背人

福尔摩斯接到了一个离奇的凶案。被害人巴克利上校和他的夫人大吵一架之后，被仆人们发现死在了家里的起居室里，而一旁的巴克利夫人则昏迷不醒。起居室的房门从里面被反锁了，钥匙不翼而飞。福尔摩斯找到华生帮忙。这对最佳搭档，能否查出案件的真相呢？

华生结婚已经有几个月了，有一天晚上，他坐在家里的椅子上，捧着一本小说直打盹。白天的工作真是把他累坏了！

丁零丁零——门铃响了。这时，已经快半夜十二点了。

“唉，不会这么晚还有病人吧？”华生无奈地去开门，门外台阶上站着的，竟然是福尔摩斯。

“哎呀，福尔摩斯，这么晚你怎么来了？快进来！”华生连忙把好朋友迎进屋里。福尔摩斯四处张望了一下，微笑着说：“看来你家客房还是空的，能否让我**借宿一晚**？哈哈，别那么惊讶嘛，华生，我是从你家空荡荡的衣帽架推理出来的。”

福尔摩斯边说边摘下自己的帽子，挂在了衣帽架上。“华生，你今天忙了一天吧？看来业务繁忙起来了。”

“天哪，福尔摩斯！”华生不记得自己这么惊叹过多少次了，“我还是忍不住要问，你是怎么看出来的？”

福尔摩斯笑了笑，说：“你的习惯我比谁都清楚。你在附近出诊，总是步行前往。只有到很远的地方出诊才会坐马车。看看你的靴子，明显是穿出去一天，到现在都没顾得上换下来，但是呢，一点儿也不脏。所以，你是坐马车不停地东奔西跑吧？”

“完全正确！福尔摩斯，你总是让我觉得**不可思议**。现在你该告诉我了，这么晚来找我，究竟有什么重要的事？”

“是个**离奇的案子**！”提到案子，福尔摩斯的神情一下子兴奋起来，两眼发光，“部队里的墨菲少校让我帮忙查一个案子。你明天能抽出一天时间吗？我需要你的帮助。”

“我总是愿意和你一起冒险的。明天可以先让我的助手帮忙照看病人。”

“那太好了！”福尔摩斯瘦削的脸颊微微泛红，“那我先把案情给你说说。这案子是关于**巴克利上校**的，他突然去世了。巴克利上校生前带领着一支有名的军团，战功赫赫。很多年前，他只是一个普通的士兵，被派驻到印度，因为在作战中表现英勇，所以从此步步高升。他的妻子名叫南希，即使已经结婚三十多年，依然美艳高贵。据说夫妻俩很恩爱，只是一直没有孩子。

“这位上校的性格很特别。他粗犷而不失活力，有时情绪暴躁，有时会突然变得非常消沉。跟人聊天的时候，明明前一刻还有说有笑，下一秒钟，笑容可能就会莫名其妙地消失，好像有一只无形的手，突然从他脸上抹去了笑容一样。嗯，他心里很可能藏着什么事。

“星期一晚上八点，巴克利夫人赶去教堂参加一场慈善会议，陪她一起去的是一位年轻的小姐，名叫莫里森。晚上九点多，两人又一起返回。

“巴克利夫人回家之后，**行为很反常**。她进了一间起居室，她平时很少去这个房间；还让女仆给她泡了杯茶，她平时晚上没有喝茶的习惯。巴克利上校听见妻子回来了，就到这间起居室看她。

“十分钟后，女仆端着茶来到房门口，听见夫妻俩在屋里**吵得不可开交**，门被从里边反锁上了。”

华生入神地听福尔摩斯讲述案情，听到这里时，华生好奇地问：“那女仆有没有听清吵架的内容呢？

福尔摩斯摇了摇头，说：“女仆说，巴克利上校故意压低声音，好像怕外人听见。巴克利夫人的声音里则充满了仇恨，她大叫着：‘你这个懦夫，把我的青春还给我！我再也不想看见你了！’他们俩在屋里争吵时，仆人们都聚拢了过来。突然，他们听见屋里的巴克利上校尖叫一声，接着是**扑通一声**，好像什么东西重重地摔在了地上。巴克利夫人撕心裂肺地尖叫起来。男仆想冲进去帮忙，可怎么也撞不开门，后来，有个机灵的车夫绕到房子后面的草坪上，他发现有扇窗户开着，赶紧翻窗进去。可惜，他还是晚了一步。巴克利上校已经**倒在壁炉边**，没有了呼吸，鲜血染红了地面。一旁的巴克利夫人倒在沙发上，**昏迷不醒**。”

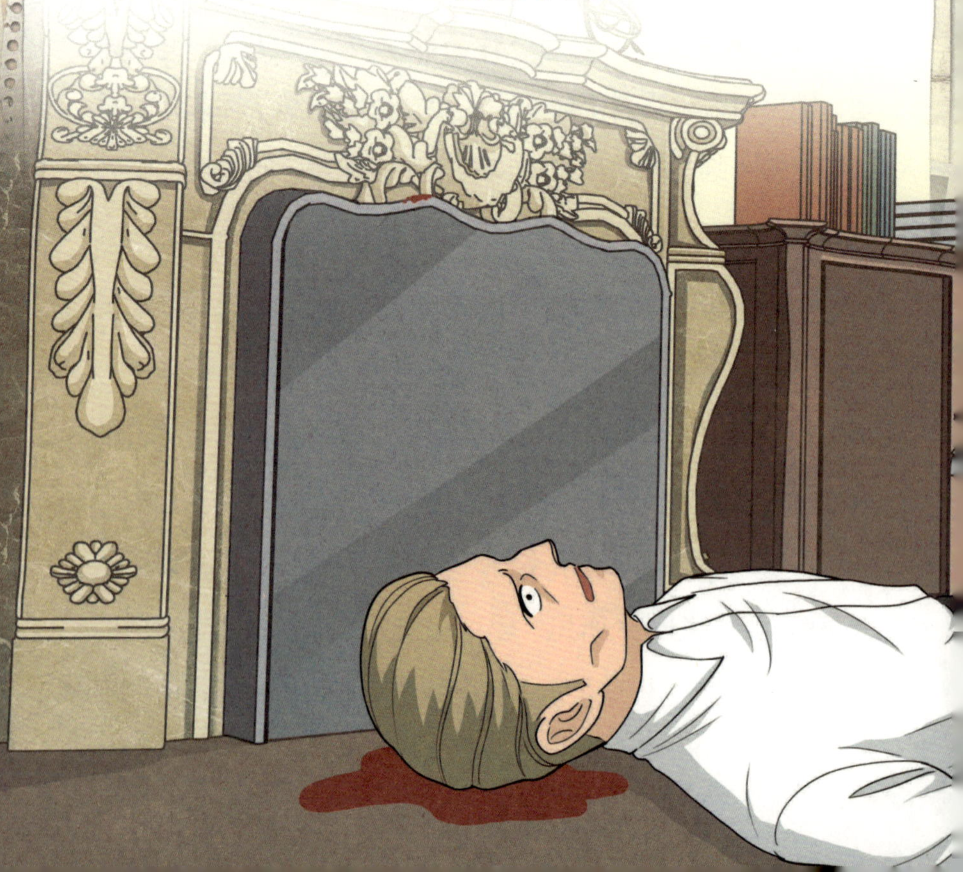

华生捂住了嘴，同情地说：“可怜的老上校。”

福尔摩斯接着说道：“车夫想打开房门叫警察，可奇怪的是，他在屋里怎么也**找不到钥匙**，上校和夫人身上也都没有。无奈之下，他只好又翻窗出去。最后警察叫来锁匠，这才打开了房门。”

“警察怎么说？”

“他们检查之后，发现巴克利上校的后脑勺上有一道长长的伤口，凶器很可能就是上校身旁的一根**雕花硬木手杖**。

仆人也分不清这根手杖到底是巴克利上校自己的收藏品，还是其他人带进来的。除此之外，屋里没有别的什么线索了。”

华生摸着下巴想了想，说：“如果我是警察，那一定会把巴克利夫人当成最大的**嫌疑犯**。”

“他们确实是这么认为的。但巴克利夫人的身体状况很差，她一直昏迷不醒，根本没法接受审问。”福尔摩斯微微摇了摇头说，“在我看来，这个案子还有**很多疑点**。”

“让我猜猜……”华生飞快地思考着，“对了，房门钥匙！如果杀人的是巴克利夫人，那房门钥匙到底去哪里了呢？”

福尔摩斯赞赏地点了点头，说：“华生，你真是一语中的。钥匙不可能凭空消失，一定是有人拿走了。除此之外，还有两条线索可以证明这件事和第三人有关。第一，女仆告诉我说，在争吵时，巴克利夫人两次提到了‘**大卫**’，这个大卫是谁呢？第二，勘查现场的警察说，巴克利上校去世时，**面部表情惊恐**，好像是看到了什么可怕的东西。”

“说不定他看到了某个突然闯进来的家伙！”

“没错。所以我仔细检查了巴克利上校家的窗户和草坪，你猜结果怎么样？”

华生已经彻底被这个案子吸引住了，急切地说：“快别卖关子了，福尔摩斯！”

“我在窗外的草坪上和窗边的地板上都发现了**脚印**，这足以证明曾经有一个人翻窗进了巴克利家。那片草坪通向马路，很可能是有人从马路旁直接穿过草坪，爬进窗户的。更让我感到震惊的是这个人的同伴。”

华生忍不住瞪大了眼睛，问：“他还有同伴？”

福尔摩斯小心翼翼地从口袋里拿出一大张纸，展开之后，华生发现上面印着一个**爪印**，看着像是某种动物的，不太大，爪子又长又尖。华生把脸凑上去，仔仔细细地瞧了一会儿，犹豫着问：“这是不是……一条狗？”

福尔摩斯摇了摇头，说：“我在窗帘上看到了一串这样的**爪印**。你见过哪条狗会爬上窗帘？”

“这么能爬，那一定是猴子！”

“也不像。”福尔摩斯扬了扬眉毛，说，“但我还是有些收获的。根据前后爪印之间的距离，可以推断出，这只动物的身体有半米多长，但它迈出一步的距离很短，可见它的腿很短。我还知道，它是一种食肉动物，因为它爬上窗帘，应该是想抓窗户上挂着的一只鸟……这么说吧，我猜这只动物很有可能是体型很大的鼬鼠，或者白鼬。”

“什么人会带着这样一只动物呢？”

福尔摩斯耸了耸肩，说：“华生，你提了一个很好的问题。不过，我们还是先从**另一条线索**入手吧。”

“什么线索？”

“就是巴克利夫人那天晚上的同伴莫里森小姐。”福尔摩斯轻松地说，“巴克利夫妇平时应该很恩爱。还记得吗？车夫说，夫人晚上出门之前，和丈夫说话的语气还很亲昵，为什么回家之后就脸色大变，和他大吵起来呢？”

华生努力**推断**道：“所以，巴克利夫人出门的这段时间，一定发生了什么事，让巴克利夫人突然讨厌起自己的丈夫来。”

福尔摩斯接着他的话说：“而这件事，跟她同行的莫里森小姐一定非常清楚。只是不知为何，她没有把这事告诉任何人。”

华生挠挠头，问：“有什么办法能让莫里森小姐开口呢？”

福尔摩斯轻松地说：“我已经找莫里森小姐问过了，她把一切都告诉我了。”

华生惊讶地瞪大了眼睛，说：“为什么警察都没有问出什么，你这么轻松就能问到？”

“很简单。我告诉她，如果她还是坚持不肯说出真相，那么巴克利夫人就会因为谋杀丈夫而被逮捕。她犹豫了一会儿，终于开口了。”

接下来，福尔摩斯把事情的经过**原原本本**给华生讲述了一遍。

那天晚上，巴克利夫人和莫里森小姐一起走路回家。她们走到一条宁静的大街上，街上的路灯发出微弱的灯光。一个人迎面走了过来，把她们吓了一跳，因为这个人的外表实在是太可怕了！他的背驼得非常厉害，整个身体佝偻着，脸朝地面，膝盖弯曲着，肩上还别扭地扛着一个小箱子。她们加快脚步，一心想着要快点儿走过去。就在擦肩而过的时候，**驼背人**抬头看了她们一眼。紧接着，一声惊叫从他喉咙里迸发出来：“天哪，南希！”南希正是巴克利夫人的名字。

巴克利夫人低头看了他一眼，顿时脸色变得惨白，身子一歪差点摔倒。驼背人冲上前去，伸出手扶住了她。莫里森小姐吓坏了，正要大喊“救命”，巴克利夫人却连忙挥手阻止了她。夫人看着驼背人，浑身颤抖着说：“天哪，亨……亨利……三十年了，我以为你早就死了！”

在路灯照射下，驼背人的脸可以用**丑陋**来形容。两颊干瘪，满脸皱纹，像是干枯的苹果，眼神阴郁可怕，灰白的头发和胡子乱成一团。“我现在这样跟死了也没什么区别，南希。”驼背人说。

巴克利夫人转头对莫里森小姐说：“亲爱的，请让我和这个人……说几句话……好吗？”能看得出来，她想尽量说得轻松些，嘴唇却仍然止不住地颤抖着。

莫里森小姐只好走到一旁，不放心地远远盯着。他们俩

只说了一会儿话。不知道驼背人说了些什么，只看到他不时向空中挥舞着拳头，好像气疯了一样。而巴克利夫人的表情，先是震惊，之后变得**怒不可遏**，眼里仿佛随时都能喷出**熊熊烈火** 在回家的路上，她一言不发，显然是在极力压制着心中的怒气。

快到家门口时，她叮嘱莫里森小姐：“今天的事，请你

不要告诉任何人，可以吗？那个驼背人是我的一个……老朋友，现在落难了，我想帮他一把。”

莫里森小姐连忙点了点头，说：“我绝对不会说出去的！”事发之后，莫里森小姐为了信守自己的诺言，确实什么都没对警察说。可现在，得知巴克利夫人有可能被逮捕，她才不得不说出实情。

“这对我来说实在是个很大的**突破口**！”福尔摩斯兴奋地看着华生说，“我立刻派出了眼线，在镇子上寻找莫里森小姐所说的驼背人。你知道的，他的样貌那么不同寻常，只要他还在镇子上，就一定能找到。今天傍晚，我终于找到他了！这个家伙叫亨利·伍德，是个变戏法的。我打听到了他的住址，甚至跟他的房东聊了一会儿。他的房东告诉我，亨利总是随身带着一个小箱子，箱子里装的是一只叫不上名的动物。他经常带着这只动物去不同的士兵俱乐部表演马戏。所有的线索都对上了，这个亨利就是那天出现在巴克利上校家的第三人。他带着那只动物闯进了屋里，还拿走了房门钥匙。至于巴克利上校是不是他谋害的，得找他当面质问了。”

华生顿时明白过来。他说：“我知道了，福尔摩斯，你是来找我一起去和他对质的，想让我当个见证人，对吗？”

“正是如此，我亲爱的华生。”福尔摩斯眨了眨眼说，“那么，你愿意和我一起去冒险吗？”

华生笑了起来，说：“我不是早就答应你了吗？不过，福尔摩斯，发生了这么大的事，你就不怕他今晚突然跑了？”

福尔摩斯**胸有成竹**地说：“我已经派人盯着他了，他是怎么也跑不掉的。现在，我们两个都应该去睡一觉，养足精神，这样才能为明天的冒险做好准备啊。”

第二天中午，华生跟着福尔摩斯来到一条偏僻的街道。他们刚走到一座小房子外面，一个流浪儿就一脸兴奋地跑过来报告：“先生，他还在里面！”

福尔摩斯点了点头，走上前**咚咚**敲了两下门。门开了，有人把他们领进一个房间。那天天气本来就热，屋里还点着火炉，热得就像一个烤箱。火炉边的椅子上，坐着一个人。正如莫里森小姐形容的，这人像虾一样缩成一团，脸庞枯瘦黝黑，两只眼睛黄黄的，眼珠一动不动地盯着福尔摩斯。

“啊，”福尔摩斯微笑着打招呼，“你就是亨利·伍德吧？我们冒昧来访，是为了调查巴克利上校的凶案。”

亨利**面无表情**地说：“我什么也不知道，你们别白费力气了。”

“哎呀，那可就糟糕了。”福尔摩斯一副十分懊恼的样子，“警察认为是巴克利夫人杀死了自己的丈夫，她马上就要因谋杀罪被审判了！”

亨利猛地从椅子上弹了起来，吼道：“你说什么?！南希是无辜的！”

“那么……”福尔摩斯的表情严肃起来，锐利的眼睛直盯着他的脸说，“你的意思是，你才是杀害巴克利上校的凶手？”

亨利不屑地摇了摇头，说：“哼，我倒是希望他死在我手里！可惜，还没等我动手，这家伙就遭到报应了。”

他仔细审视了福尔摩斯和华生一会儿，长叹了一口气，说：“唉，为了证明南希的清白，我愿意把一切都告诉你们。”

那是一个很长很长的故事，要从三十多年前讲起了。其实，亨利和巴克利曾经是**战友**。三十多年前，他们都被派驻到印度，两人待在同一个兵团。那时候，他们都是普通士兵，同时爱上了一个漂亮的女孩，她就是南希，一名军官的女儿。别看亨利现在样貌丑陋，当年却是他们兵团里最英俊的士兵。他和南希相爱了，可是南希的爸爸不顾女儿的意愿，一定要把她许配给巴克利。在他看来，亨利是个冒失鬼，没什么前途，而巴克利更有希望被提拔为**军官**。

南希却怎么也不肯答应。就在这时，印度爆发了民族起义，印度军队激烈地对抗英国军队，全国都骚乱起来。亨利他们所在的兵团被印度军队包围，弹尽粮绝。亨利**自告奋勇**，愿意冲出去，向大部队寻求援助。因为巴克利是部队里最熟悉地形的人，所以亨利请他画了一张地图。

那个黑漆漆的夜晚，亨利按照地图上的指示，钻进了一条干枯的河道。可是，他的眼前冷不丁地冒出六个**全副武装**的敌人，似乎早就守在那里等着他自投罗网。敌人得意地告诉了他真相，正是给他画地图的巴克利出卖了他。亨利感到既震惊又愤怒，这个巴克利，为了得到南希，竟然使出这么卑鄙的手段！

亨利蜷缩在福尔摩斯对面的椅子上，越讲越激动，全身都颤抖了起来："于是，我成了敌人的俘虏。我好几次试着逃跑，但都被抓了回去，等待我的是**无穷无尽**的折磨！"他举起手摸了摸自己的脸，又指了指自己的背，说："看看，他们把我弄成了什么鬼样子！"

华生同情地看着亨利。亨利渐渐平静下来，长吁一口气，说："最后，我终于逃了出来。在逃亡中，我学会了变戏法，就靠这个过活。原本我打算一辈子都不回英国了，更不打算再和南希见面。何必让她知道呢，从前那个英俊的亨利变成了这副人不人鬼不鬼的样子！"

他说着，又叹了一口气，继续说道："可是，我年纪越大，就越想念英国绿油油的大地。我知道自己没几年可活了，实在是不愿意死在异国他乡的土地上。所以，我回来了。在命运的安排下，我竟然误打误撞地遇到了南希，哦，就是巴克利夫人。"

福尔摩斯似乎也被亨利的悲惨经历打动了，他叹了一口气，说："唉！我猜，等巴克利夫人离开以后，你**情不自禁**地跟踪她。你就站在马路上，隔着草坪看到夫妻俩在房间里争吵。那间起居室的窗户正好对着你，窗帘也没拉上，所以你看得**一清二楚**。后来，你没忍住，冲上前去翻窗闯进了屋子。"

亨利坦然地点头承认道："没错。巴克利一看到我，就**脸色大变**。他瞪着眼睛半天说不出话来，紧接着就直愣愣地向后栽倒，一头撞到了壁炉的挡板上。要我说，他在磕破脑袋之前就已经被吓死了。"

"后来呢？"

“南希尖叫起来，晕了过去。我从她手里拿过钥匙，想开门叫警察。可我马上就意识到，这样一来，警察肯定会把我当成凶手的。为了避免麻烦，我把钥匙塞进口袋，从窗帘上把特迪捉了回来，然后跳出窗子逃走了。在慌乱之中，我的**手杖**落在了屋里。”

福尔摩斯点了点头，说：“手杖应该就是被警察当作凶器的那根，特迪又是谁？”

亨利站了起来，走到墙角，打开了一个笼子。一只瘦瘦长长的小动物从里面蹿了出来。它的皮毛是红褐色的，长着一双美丽的红眼睛。华生惊叫道：“哦，这是一只**猫鼬**！”

亨利抱起特迪，点了点头，说：“没错。我把它叫作捕蛇鼬。它擅长捕捉眼镜蛇，速度快得惊人，哧溜几下就能把蛇抓住。每天晚上，我就带着它在士兵俱乐部里表演捕蛇节目，哦，我有一条去了毒牙的蛇。大家都很爱看这样的节目。”

福尔摩斯彬彬有礼地鞠了一躬，说：“现在所有事情都弄清楚了，谢谢你的讲述。”看到亨利担忧的表情，福尔摩斯又补充了一句：“我相信巴克利夫人会平安的。”

他们离开亨利家，在街上遇见了墨菲少校，就是那个请福尔摩斯来帮忙查案的军官。他见到福尔摩斯，情绪有些激动地说："嘿，大侦探，你听说案子的最新进展了吗？法医说，巴克利上校不是被人害死的，他真正的死因是**中风**。唉！心脏突然就停止跳动了。麻烦你调查这么久，真是太不好意思了。"

福尔摩斯眨了眨眼，露出一个轻松的笑容，说："哦，原来如此。看来，我和华生可以回家好好休息一下了。"

在回家的路上，华生突然想起一个问题，他问道："对了，福尔摩斯，为什么女仆会听见巴克利夫人喊'**大卫**'呢？出现在现场的第三人，明明是亨利。该不会……房间里还有一个人吧？"华生被自己的猜想吓了一跳。

福尔摩斯却摇了摇头，说："那只是一个**典故**而已。历史上有一个叫大卫的国王，他看上了一位将军的妻子，于是设计害死了那位将军。我想，巴克利夫人是引用了大卫王的故事，来谴责卑鄙的巴克利上校吧。"

住院的病人

年轻有为的珀西医生遇到了一些麻烦事。他的投资人布莱星顿先生，最近紧张得过了头，每天闭门不出，惊恐不安。前两天，珀西医生接待了一个奇怪的病人，布莱星顿听说之后，竟然大喊大叫，让他赶紧去贝克街找福尔摩斯求救……

7月的一天，天气非常闷热，福尔摩斯蜷缩在沙发上，华生坐在他对面，两眼盯着面前那堵墙陷入了沉思。突然，福尔摩斯开口打断了他的思绪："没错，华生，用这种方法解决争端实在是太荒谬了。"

华生下意识地点了点头，随即猛地坐直身子，震惊地看向福尔摩斯，问："你……你什么时候学会**读心术**了？怎么连我心里在想什么都知道？"

福尔摩斯眯眼一笑，说："亲爱的华生，这些都是我从你的表情看出来的啊。"

"可是，就算你观察和推理能力再强，也不可能直接看穿我心里的想法吧？"

"那可不一定。"福尔摩斯耸了耸肩说，"刚开始的时候，你的眼睛一直盯着墙上那位将军的画像，过了一会儿，你把目光移到书架上另一位将军的画像上。你的表情告诉我，你是觉得把这两幅画像并排挂在墙上更合适吧？因为，你看，墙上那个空位挂书架上那位将军的画像正合适呢。”

华生惊讶地叫了起来：“我刚才确实是这么想的！”

“接着，你又开始**全神贯注**地盯着这两幅画像，我猜，你是从他们身上想到了战争。然后，你的脸色慢慢阴沉起来，你伸手摸了摸自己在阿富汗战争中留下的旧伤疤，然后摇了摇头。我太了解你了，所以一下就能猜出你心里在想什么。你在想，用战争的方式解决争端，实在是太荒谬了。而我恰好跟你的想法一致，所以忍不住开口打断了你。你不介意吧？”

华生还没有从震惊中缓过神来，他下意识地摇了摇头，说：“当然不介意，福尔摩斯。容我再说一遍，你的推理能力实在是太让人不可思议了！”

福尔摩斯笑了笑，说：“事实上，只要认真观察，能做到这一点并不难。华生，我们已经在屋里待了很久，不如出去散散步吧？”

几分钟后，他们走出公寓，在伦敦街头漫步了几个小时，回到贝克街的时候已经是晚上十点了。**出人意料**的是，公寓门口停了一辆马车。

“看来我们有客人了。”福尔摩斯瞥了一眼马车说，“哦，这位客人还是你的同行呢。”

华生愣了一下，但他很快就发现，马车上挂着一个篮子，里面装满了医疗器械。没错，这位深夜来访的客人一定是个**医生**。

福尔摩斯推开房门，只见壁炉边坐着一个三十出头的男人。他的穿着非常朴素，一件黑色大衣，一条深色裤子，搭配一条不太鲜艳的领带。他脸庞瘦削，皮肤白皙，留着土黄色的络腮胡子。看到福尔摩斯和华生，他连忙站了起来，有些腼腆地自我介绍道：“两位好，我是珀西 · 特里医生。”

“哦，珀西医生……你是不是写过一本书……”华生眼里闪着兴奋的光彩，“是关于神经损伤的吧？我拜读过你的那本书。我是华生医生。”

珀西医生脸上泛起一抹惊喜的红晕：“那真是太好了，我还以为根本没人读这本书呢！不，先不说这些题外话了。”他好像突然反应过来一样，把脸转向福尔摩斯，说：“您就是福尔摩斯先生吧？我今天来找您，是有一件事想请您帮忙。”

福尔摩斯已经在椅子上坐了下来，他点燃了**烟斗**，说：“请尽管说吧，医生，能帮上忙的我一定帮。”

珀西医生长长地吁了一口气，说：“这件事还要从十几年前说起。我毕业于伦敦大学，我对**强直性昏厥**这种疾病很有研究。病人发病时浑身僵硬，一动不动，完全感觉不到周围发生了什么。在毕业后的几年里，我在这方面取得了一点成绩，还出了一本书，就是您朋友刚才提到的那本。靠着这本书，我拿到了一个医学上的奖项。那时候，我最大的梦想就是自己开一间诊所。可是，这需要花一大笔钱，而我当时还只是一个**身无分文**的穷小子。就在这时，一位名叫布莱星顿的绅士找到了我。他说愿意资助我在伦敦开诊所，而且一下就拿出了几千英镑。”

福尔摩斯静静地听着，偶尔吸一口烟斗。“那么，这位布莱星顿先生想从你这里获得什么回报呢？”

“我把赚来的钱分给他四分之三，自己只留下四分之一。而且，他有心脏衰弱的老毛病，自从诊所开业以来，他就一直住在里面，方便随时接受治疗。二楼最好的两个房间，一直是他在用。他这个人，**脾气很古怪**，不喜欢跟外人打交道。说实在的，他投资在我身上一点儿也不亏，诊所的生意非常红火。这几年，我已经让他变成了一个真正的富翁。”珀西医生看起来十分自豪，但是他的表情很快又变得十分沮丧，接着，他说起了几周之前发生的**一件怪事**。

那天，布莱星顿来找珀西医生，眼里满是惊恐，手舞足蹈地说：“我们要赶快把门窗加固起来，一天也不能耽搁！伦敦城里刚刚发生了盗窃案，非常危险！”

珀西医生感到有点儿莫名其妙，在他看来，大可不必如此惊慌。不过，他还是照做了。

接下来的几天，珀西医生发现布莱星顿更不对劲了。他从早到晚看起来都处于**惊恐不安**中，不断向窗外张望。以前他会在晚饭前散会儿步，现在压根儿连门也不出了。当珀西医生问他，是不是发生了什么事，他总是粗鲁地回答：“别问我，我什么事都没有！”

随着日子一天天过去，布莱星顿似乎慢慢恢复了正常。医生暗暗松了一口气，以为这件事过去了。

两天前，珀西医生收到了一封信。信上说，有一位来自俄罗斯的贵族患上了**强直性昏厥病**。珀西医生恰好是医治这种疾病的专家。病人说他会在第二天傍晚六点到诊所就诊。

第二天傍晚，病人果然准时来了。这是一位身材瘦小的老人，外表平平无奇，一点儿也不像贵族。陪他一起来的是一个年轻人，高大威猛，皮肤黝黑，看上去一副凶巴巴的样子。他小心翼翼地把老人扶到诊室的座位上，表现得体贴入微，这和他的外表形成了鲜明的对比。

他很有礼貌地说："医生，谢谢您愿意给我父亲看病。"

"不用这么客气。那我们这就开始吧。"

然而，年轻人使劲摆了摆手，说："不，医生，我实在不忍心看到父亲痛苦的样子。您治病的时候，我能在外面的候诊室等着吗？"

珀西医生完全没多想，点头答应了。年轻人离开之后，珀西医生看着老人的病历本，开始询问病情。老人回答得结结巴巴，经常**前言不搭后语**。几个问题之后，老人突然闭上嘴巴，直挺挺地坐着，脸上毫无表情，肌肉僵硬，无神的眼睛直愣愣地盯着医生。

"糟糕，他的病发作了！"珀西医生慌忙放下病历本，冲到实验室去拿药。他找到药瓶回到诊室时，却惊讶地发现，屋里**空无一人**，那个病人已经不知去向了！珀西医生一头雾水地走出诊室，在医院里转了一圈，发现病人的儿子也不见了。诊所里有个新来的**小助手**，珀西医生问他有没有看见这两个人，小助手茫然地摇了摇头。

就在这时，布莱星顿先生散步回来了。珀西医生不想增加他的烦恼，所以就没把这件事告诉他。

他以为，自己从此以后不会再见到这一对奇怪的父子了。可是，第二天傍晚六点多，他们俩又来到了珀西医生的诊所。

老人歉疚地解释道：“实在不好意思，医生。昨天我的脑子突然糊涂了，不知怎的从医院大门走了出去。我儿子看见我出去，还以为是看完病了，就把我带回家了。”

他那大块头的儿子也满脸惭愧地说：“哎呀，我也是到家以后才知道，父亲根本就没看病哪！”

“原来是这样啊。”珀西医生恍然大悟道，“没关系，我们今天继续吧。”

这一回，年轻人还是在外面等着，把老人和医生单独留在诊室里。半个小时一晃而过，珀西医生开了一张药方，把病人送出门外，亲眼看着年轻人搀扶着老人一起离开了。

这时，外出散步的布莱星顿先生回来了。他和平时一样径直上了二楼的房间。几分钟之后，珀西医生听见了他**跌跌撞撞**的脚步声。布莱星顿疯狂地跑下楼梯，冲进珀西医生的诊室，大喊大叫道：“谁？谁进了我的房间？”

珀西医生感到莫名其妙，他回答道：“没有人进过你的房间啊。”

布莱星顿浑身发抖，跺着脚咆哮道：“不可能！我屋里有陌生人的**脚印**！你上楼去看看！”

珀西医生跟着他来到房间一看，果然，地毯上有几个脚印，比布莱星顿本人的脚印大得多。中午下过大雨，这沾满泥点的脚印明显是在中午以后留下的。珀西医生愣了一下，犹豫着说：“下午以来，诊所的病人只有刚刚那两个……难道……难道我给老人看病的时候，他儿子上了二楼，还进了你的房间？可这是为什么呀？看你屋里没有被翻动过的痕迹啊，没丢什么东西吧？”

珀西医生说着，抬头看了看布莱星顿，顿时吓了一跳。因为布莱星顿的脸色难看极了，就跟死人一样。下一秒，他便**扑通一声**跌坐在椅子上，浑身颤抖，张大嘴巴胡乱号叫。过了好久，他才稍微平静一点，虚弱地说：“医生，你快去贝克街找福尔摩斯先生，现在只有他能救我了！快去！”

“福尔摩斯先生，所以我就过来找您了。”珀西医生满脸困惑地问，“这一切究竟是怎么回事啊？”

福尔摩斯眯着双眼，没有回答医生的问题，烟雾一缕一缕地从他的**烟斗**里旋转着冒出来。突然，他抓起帽子，一把拉住华生的胳膊，扭头果断地对珀西医生说：“走，现在就带我们去诊所，快！”

珀西医生领着他们俩匆匆赶到医院，开门的是那个**小助手**。三个人刚走上楼梯，突然，一个颤抖的吼叫声响了起来："别……别过来！我……我要开枪了！"

珀西医生吓了一跳，慌忙举起双手，说："天哪！布莱星顿先生，是我，珀西医生。我把福尔摩斯先生带来了。"

那个声音停顿了一下，尖厉而沙哑地说："真……真抱歉，你们请上来吧。"

他们一起上了二楼。一个脸色苍白的胖子站在房门口，手里握着**一把枪**。他的脸如同猎犬的两颊一样，耷拉着两个松弛的肉袋。他那稀疏的土黄色头发似乎由于情绪激动，一根根竖了起来。在看清来人之后，他**惊恐万状**的表情稍稍放松了一点，把手枪塞进了口袋里。

"福尔摩斯先生，多谢你愿意跑一趟。"

福尔摩斯用锐利的目光打量着布莱星顿，说："我听说，有人闯进了你的房间。

布莱星顿先生，你知道他们为什么要这么做吗？”

布莱星顿迟疑了一下，说：“这……我……我怎么会知道？”他侧过身子，指着墙角的一个黑色箱子说，“你看，这个箱子里装的就是我所有的家当。那些小偷要是偷了这些钱，那我马上就会变成一个穷光蛋！”

福尔摩斯皱着眉摇了摇头，说：“你现在担心的，真是这些钱吗？布莱星顿先生，我猜你**没跟我说实话**吧？”

布莱星顿浑身又颤抖了一下，但还是一口咬定说：“我……我说的全是实话！”

福尔摩斯腾地站了起来，不耐烦地挥了挥手，说：“那我恐怕帮不了你了。”他转过身，对珀西医生点了点头，说：“晚安，医生。真遗憾没能帮上你。”

在回家的路上，福尔摩斯对华生说：“其实，这个案子还是挺有趣的，但布莱星顿先生实在是太愚蠢了。”

华生问道：“你是不是已经猜到什么了？”

“非常简单。那两个病人两次来医院，都特地选在布莱星顿先生出门散步的时候，很明显，**病是装出来的**，他们真正的目标就是布莱星顿，而且绝对不是为了钱，否则他那些钱早就被偷走了，他也不是因为钱而吓成那个样子。你看看他的脸色，华生，他对仇人的身份心知肚明，就是不肯告诉我。”

华生有些担心，问道：“今晚不会出什么大事吧？”

“那可说不准……如果我没猜错的话，他明天就会改变主意了。”

第二天一早，华生刚睁开眼睛，就看到福尔摩斯站在自己床头。“快起床，华生。外面有辆马车正等着我们呢。”福尔摩斯急切地说。

华生迷迷糊糊地看着福尔摩斯，问道：“什么……马车？”

“珀西医生来消息了。”福尔摩斯拿出一张纸条。华生揉了揉眼睛，看见上面写着一行潦草的字：“**请速来诊所**。”署名是珀西医生。

华生一骨碌爬起来，问道：“出什么事了？”

“恐怕是布莱星顿先生**出意外**了。”福尔摩斯冷冷地说。华生赶紧穿好衣服，两人一起乘马车到了诊所。珀西医生站在诊所门外等着他们，满脸惊恐。

“啊，福尔摩斯先生，你们总算来了！布莱星顿先生昨天晚上……上吊自杀了！”

华生惊叫一声，捂住了嘴。珀西医生指了指楼上，说："警察在上面调查呢。"

福尔摩斯镇定地问："什么时候发现的？"

"今天早上七点，女仆端着茶上楼给他送过去，发现他已经……"

福尔摩斯沉默了一会儿，问："医生，能带我们上楼看看吗？"

"当然可以，跟我来。"珀西医生领着他们俩上了楼。布莱星顿的尸体已经被警察平放在地板上，他的脖子上套着一根长长的**绳子**。天花板上有一个吊钩，平时应该是用来挂煤气灯的。按珀西医生的说法，布莱星顿就是在这上面吊死的。屋里还有一名**精明能干**的警探，正低头专心地做着记录。福尔摩斯认出来了，他是苏格兰场的兰诺尔警探。

福尔摩斯轻松地上前打了个招呼："嘿，兰诺尔警探。你有什么发现吗？"

警探抬起头看了一眼，说："是福尔摩斯啊。关于这个案子，我已经了解了一些情况。依我看，这个人是被什么人吓破胆了，受不了天天这样**提心吊胆**，所以干脆上吊自杀了。至于具体的死亡时间，现在还不能确定。"

华生走上前查看了一下尸体，说："根据肌肉僵硬的情况

来看，他应该是在三个小时前去世的。”

福尔摩斯冲华生点了点头，又看向珀西医生，说：“你知道他脖子上的**绳子**是从哪里来的吗？”

珀西医生弯下腰，从床底下拉出一卷长绳，说：“应该是从这上面剪的。布莱星顿先生总是在屋里放一捆长长的绳子，说是万一发生火灾，就可以绑在身上，从窗户逃出去。”

“我知道了。兰诺尔警探，现场还有别的什么线索吗？”

警探回答道：“嗯，洗手池旁边有一些奇怪的**螺丝钉**，而且，这个人昨晚可能抽了不少雪茄。”他拿出四个雪茄烟头，说：“这是我在壁炉上捡到的。”

福尔摩斯接过烟头，放在鼻子底下闻了闻，问道：“哦，你们找到布莱星顿先生的雪茄烟盒了吗？”

兰诺尔警探又从证物袋里拿出半盒雪茄，回答道：“这是在他衣服口袋里找到的。”

福尔摩斯从里面抽出一支雪茄，也闻了闻，随即他的脸上露出了奇怪的表情：“这些烟头，跟盒子里的不是同一种烟。昨晚肯定有外人进过这间卧室。”他掏出**放大镜**，仔细检查那四个短短的烟头，继续分析道：“而且，来了不止一个人！这四个烟头不是同一个人抽的，你们看，有两支烟是用烟嘴吸的，另外两支不是。其中两个烟头是用小刀削下来的，另外两个是用牙齿咬的。”

福尔摩斯又走到门外，蹲下来仔细查看**脚印**。“不对，不止两个人，按照脚印重叠的状况来看，一共有三个人，第三个人是踮着脚上楼的。”

接着，他站起身，在卧室里转了一圈，检查了卧室的门锁，又一次查看了床、地毯、椅子、壁炉，还有死者脖子上的绳子。最后，他看着目瞪口呆的兰诺尔警探，斩钉截铁地说：“这一切都证明，布莱星顿不是自杀，而是**他杀**！”

兰诺尔警探结结巴巴地说：“可是……你怎么能肯定……”

福尔摩斯自信地挺起胸，说：“根据我刚刚查看到的线索，我可以把昨晚发生的事整个儿还原一遍！”

福尔摩斯笃定地还原起了案件的经过。

“昨天晚上，**三个罪犯**来到了诊所。那时诊所已经关门了，所以一定是有个内应打开了大门，把他们放进来的。我猜，这个内应就是昨晚给我们开门的**小助手**。因为诊所里只有他是新来的，对吧？”

珀西医生睁大了眼睛，说：“怪不得！今天早晨出事之后，我就怎么也找不着他了。”

福尔摩斯耸了耸肩，说："三个罪犯到了二楼，发现布莱星顿先生的卧室锁着门。他们用一根铁丝撬开了锁。我刚才仔细观察过了，锁孔上有**铁丝的划痕**。

"他们闯进卧室，用什么东西堵住了布莱星顿先生的嘴。然后，三个人坐在这间屋里，商量着该怎么处置布莱星顿先生。他们一定商量了很长时间，因为其中两个人抽完了两支雪茄。

"最终，他们做出决定，要把布莱星顿先生吊死。他们肯定带来了某种**滑轮装置**，打算用来做绞刑架。洗手池边的那些螺丝钉就是用来安装绞刑架的。就在这时，他们突然发现了天花板上的吊钩，还有床底的绳子。有了这些现成的工具，又何必给自己找麻烦呢？所以，他们把布莱星顿先生吊在钩子上，然后就**逃之夭夭**了。随后，那个小助手帮他们把大门锁上，装作是布莱星顿自杀的样子。事情就是这样——"

福尔摩斯侃侃而谈，在场所有人都听得目瞪口呆。突然，他又转向兰诺尔警探，说："警探先生，我建议你现在立刻派人搜捕那个小助手，他很可能还没跑远。"

警探犹豫了一会儿。不过，对福尔摩斯的信任战胜了怀疑，他立刻调动警力，**搜捕**失踪的小助手。福尔摩斯走向壁炉，从上面拿走了一张布莱星顿先生的照片。“华生，我们该回去吃早餐了。”

直到吃完早餐，华生依然沉浸在震惊当中。福尔摩斯却拿着那张照片出了门。

“你干什么去啊，福尔摩斯？”

“我去调查布莱星顿先生的真实身份。”

下午三点，兰诺尔警探和珀西医生一起来到了贝克街。半个小时后，福尔摩斯回来了。警探一见到福尔摩斯，就连忙热情地说：“这回真是多谢你了，福尔摩斯。我们已经抓到那个小助手了！”

“太好了！”福尔摩斯高兴地回答道，“我也弄清布莱星顿先生的**真实身份**了，原来，他的真名叫萨顿。”

“什么？是那个抢银行的萨顿？”兰诺尔警探惊讶地叫了起来。华生和珀西医生却迷茫地看着他们，问道：“什么？什么萨顿？”

福尔摩斯解释道：“十年前有一桩轰动一时的**银行抢劫案**，犯人总共有五个，萨顿就是其中之一。他们被抓后，萨顿出卖了另外四个同伙，换取了自己的无罪释放。那四个劫匪，一个被绞死，三个被判了十五年有期徒刑。前段时间，那三个服刑的同伙提前出狱了。**理所当然**，他们要来找出卖自己的叛徒复仇。”

珀西医生恍然大悟道：“难怪了，布莱星顿先生那天着急成那个样子，说什么伦敦发生了盗窃案，其实是看到了当年那些同伙出狱的消息。”

“没错。”福尔摩斯点了点头说，“他非常怕死，让你找我过来帮忙，但又不肯说出真相，因为他不想承认自己是个卑鄙的抢劫犯。布莱星顿先生，哦，不，是萨顿，他显然是有罪的，如今落得这个下场，算是**罪有应得**吧。”

在场的几个人都感慨不已。可惜的是，警察最终也没有抓到那三个杀人犯。后来听说，他们很可能是坐上一艘轮船逃离了英国，不过，那艘船在海上遇难了，船上所有人无一生还。这桩离奇的**复仇案**，从此也就深埋在海底了。

海军协定

多年不见的老同学菲尔普斯突然给华生来信，请他和福尔摩斯帮忙破案。原来，十个星期之前，菲尔普斯弄丢了极其重要的机密文件——英国的一份海军作战协定。如果文件找不回来，那菲尔普斯就会成为全英国的罪人。可是文件已经丢失这么久了，福尔摩斯能找回海军协定吗？

华生走进贝克街的公寓，看到福尔摩斯身穿睡衣，正聚精会神地做着化学实验。桌上堆着各种**瓶瓶罐罐**，一盏燃烧着的本生灯上，架着一个弧形的大玻璃瓶，里面的液体**咕嘟咕嘟**地翻腾冒泡。听到华生的脚步声，福尔摩斯头也没抬，只顾忙着手里的活儿。最后，他举着一个盛了某种液体的**试管**，拿出一张试纸，兴奋地说："如果试纸是蓝色的，那么这种液体就是安全的；如果试纸变红了，那就说明这种液体有毒！"

华生抱着胳膊，看福尔摩斯把试纸浸入**试管**当中。很快，那张试纸变成了可怕的红色。"果然是这样！"福尔摩斯欢呼了一声。他冲到桌前写着什么，边写边对华生说："再等我一会儿。烟叶放在波斯拖鞋里，你自己拿吧！"

过了一会儿，他招呼门外的小跟班说："来，帮我把这几封电报寄出去。"接着坐回椅子上，双手环抱着膝盖。

“总算处理完上一桩案子了。医生，怠慢你了，真是不好意思。让我猜猜，你来找我，一定是带来了什么**有趣的案子**吧？”

“是不是有趣我不敢保证，不过，确实有人**指名道姓**要见你。”华生从怀里掏出一封信，递了过去。“写信人是我一个多年不见的老同学，他叫菲尔普斯。他舅舅是一位勋爵，算是一位大人物，说不定以后会当上英国的首相。”

福尔摩斯拆开信，信上是这么写的：

亲爱的华生：

希望你还记得老同学菲尔普斯。你或许也知道，我毕业之后，靠着舅舅的人情在外交部找了一份工作。可是，前段时间出了一件可怕的祸事，彻底毁掉了我的前程，也毁掉了我的健康。我已经卧床不起九个星期了，在这期间可以说是神志不清。如今，我总算稍微清醒了一点，这才想到向你的朋友福尔摩斯先生求助。我把地址附在信中，希望他能尽快过来。

你的老同学，菲尔普斯

福尔摩斯把信交还给华生，说：“作为一个急于寻求帮助的人，你这位老同学说话可真含糊。不过，我还是有兴趣为这个案子跑一趟。”

他们坐火车来到一个叫沃金的小镇。在火车站附近，一片辽阔的土地上一座孤零零的大宅子映入眼帘。这就是菲尔普斯的家。

一个四十多岁的中年人接待了他们。这个人不高，但很壮实，面色红润，目光欢快。他热情地握住了福尔摩斯的手，说：“你们好，我是约瑟夫。我的妹妹安妮就要和菲尔普斯结婚了，所以我在这里帮忙照顾他。快进屋来吧，菲尔普斯等了你们一早上，都要急坏了。”

他把两人领进一个宽敞的房间，这里摆满了**鲜花**，窗外也不时飘进阵阵花香。一位面色苍白的年轻人躺在窗边的沙发上，他正是大病初愈的菲尔普斯。在他旁边坐着一位年轻的女子，身材略显矮胖，但一张橄榄色的脸显得异常美丽。她有一双乌黑的大眼睛，一头乌云般的黑发，让人看了一眼就很难忘记。这应该就是菲尔普斯的未婚妻安妮了。

菲尔普斯坐了起来，热情地说：“好久不见啊，华生！我都要认不出你了。你身边这位，应该就是大名鼎鼎的福尔摩

斯吧？快请坐。”

两人在椅子上坐了下来。菲尔普斯**开门见山**地说：“我就不多啰唆了，直接讲一下这个案子吧。事情要从十个星期之前说起。华生，你知道我舅舅是一位勋爵，我是靠着他的关系才能在外交部干下去的。不瞒你说，我在那里干得不错，他很满意，我应该很快就能升职了。然而这一切，在 5 月 23 日那天，全都毁了。”

福尔摩斯看着他，鼓励他往下说：“那天发生了什么？”

菲尔普斯努力回忆着，尽量不遗漏任何一个细节。“他把我叫到办公室，手里拿着一份文件，说要交给我一个非常重要的任务。那份文件是英国和意大利政府签订的秘密协定，和**海军作战计划**有关。舅舅非常严肃地告诉我，这份协定是国家最高机密，绝对不能泄露。他现在需要一份手抄本，想来想去，觉得其他人都没法信任，才把这个任务交给了我。他希望我等所有人都下班之后，单独留在办公室里**抄写**这份文件，这样才能保证安全……”

福尔摩斯突然打断了他的话，问：“他向你交代任务的时候，确定没有其他人听见吗？”

菲尔普斯严肃地摇了摇头，说：“绝对没有。”

他继续往下讲。那天晚上，办公室里的其他人都陆续下班了，只有一个叫戈罗特的年轻人比其他人走得晚一些。菲尔普斯希望能快点儿把工作做完，因为他和未婚妻的哥哥约瑟夫约好了，要一起乘坐晚上十一点的火车回乡下的家里。前阵子，未婚妻安妮过来和菲尔普斯的家人见面之后就一直住在这里。陪同她前来的哥哥约瑟夫很喜欢这里的环境，就多住了一阵子。

那份协定很长，一共有二十六条，他一直抄到晚上九点，才抄了九条。看样子是赶不上十一点的火车了，菲尔普斯有些着急。这时，他感到又饿又困，就按铃叫了大门口的看门人，想让他帮自己煮一杯咖啡。

然而，进来的却是一个老太婆。“你是谁啊？”菲尔普斯惊讶地问道。

“哦，我是看门人的妻子，在这里做清洁工。您要喝咖啡吗？”

老太婆去煮咖啡了，菲尔

普斯又抄了一会儿，咖啡却一直没有送来。他只好暂时放下文件，出去找看门人。结果，看门人正坐在值班室的椅子上打瞌睡，咖啡壶里的咖啡咕嘟咕嘟地沸腾着，都流到了地板上。菲尔普斯正要叫醒他，突然，**丁零丁零**——一阵铃响，看门人猛地惊醒过来。

“哦，是菲尔普斯先生。您怎么来了？”

“我来看看咖啡煮好了没有。”

“好了好了！”

看门人慌忙拿起咖啡壶，刺耳的铃声在屋子里响个不停。他看了看菲尔普斯，满脸困惑地问道：“奇怪，您人在这里，那是谁在您的办公室**按铃**呢？”

什么？那铃声竟然是从自己办公室传来的？菲尔普斯想起桌上的绝密文件，顿时吓得浑身发冷。他顾不上咖啡了，像箭一般冲回办公室。但那里空无一人，更可怕的是，桌上那份协定的原件**消失不见了**！

菲尔普斯发疯似的向侧门飞奔而去。刚才他是从正门上楼的，什么人也没碰到。那个偷文件的**神秘人**一定是从侧门跑出去的。

福尔摩斯听到这里，打断了他，问道：“偷文件的人，不会躲在办公室里，或者外面的走廊上吗？”

菲尔普斯**斩钉截铁**地摇了摇头，说：“绝对不可能！这两个地方根本没有藏身之处！别说大活人了，就连一只老鼠也藏不住！”

他又接着往下讲。

当时，外面下着蒙蒙细雨，附近教堂报时的钟声响了，是九点半。菲尔普斯满头大汗地追到侧门外的查尔斯街，那里空空荡荡的，半个人影也没有。倒是前方对着正门的白厅路上车水马龙。这时，看门人也跟着一起追了出来。他们一路跑到街角，一名警察在那里巡逻，菲尔普斯连忙冲上前去打听：“警察先生，有没有看到有人从查尔斯街那边过来？”

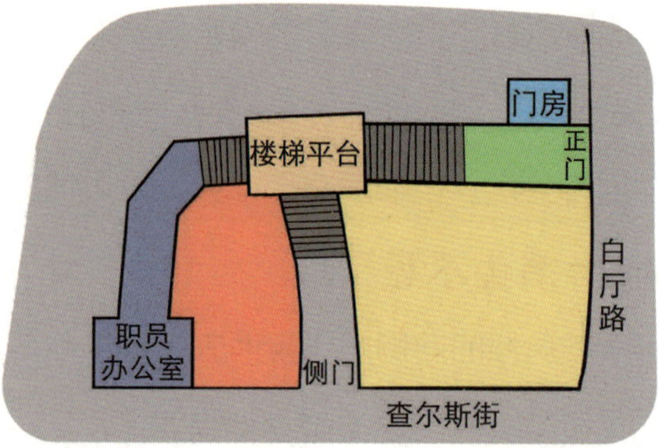

警察想了半天，说：“嗯……那条街没什么人啊。哦，五分钟前，有一个个子高高的老太婆**慌慌张张**地从那边走过

来，身上披着一条暗花纹的围巾。”

“那不是我老婆吗？”看门人惊讶地**脱口而出**。

菲尔普斯气喘吁吁地追问道：“她……她往哪个方向走了？”警察耸了耸肩，说：“那我可没注意到。”

看门人拽着菲尔普斯的胳膊往左边跑：“小偷肯定是往这边跑了，咱们快追！”菲尔普斯却一把甩开他，说：“哼，我看你是要包庇自己的老婆！”他撒开腿就往右边追了过去。

最终，他**一无所获**地回到了办公室。他又在办公室里检查了半天，里面没有暗门，两扇窗户距离地面有九米多高，而且都从里面锁死了。任何人偷了文件，都只能从门口逃跑。但是，窃贼没有留下任何可疑的线索，连一个脚印也没有。

福尔摩斯好奇地问：“你说看门人的太太九点左右曾经上楼问你有什么吩咐，对吧？既然外面一直下着雨，她进你办公室，怎么会没有留下**脚印**？”

菲尔普斯解释道：“她有个习惯，上来之前会把外面穿的靴子脱掉，换上干净的布拖鞋。”

很快，伦敦警察局，也就是苏格兰场，接到了报案，福布斯警探赶了过来。现在最可疑的人，就是看门人的太太。

警探和菲尔普斯立刻前往看门人的家里。

看门人的女儿开了门，告诉他们，妈妈还没有回来。两人进屋等着。十分钟后，有人敲门。女儿一边开门一边说：“妈妈，有两个人找你。”只听见门外响起一阵匆忙的脚步声。警探和菲尔普斯连忙追了出去。来人正是看门人的太太。她板着脸回过头，突然惊叫道：“嗯？这不是菲尔普斯先生吗？您怎么会来这里？”

福布斯警探大吼一声：“**你为什么要跑**？”

这位太太冷冰冰地说：“我以为是旧货商找上门来了呢。我们之间闹了点不愉快。”

刚刚燃起希望的菲尔普斯，没过多久就又陷入了绝望之中。警探对看门人的太太的任何质问，她都能**对答如流**，听不出什么破绽。更让人灰心的是，无论是在这位太太身上，还是在她家里，都没有搜查出秘密文件的半点影子。他们甚至连厨房里的炉火灰都翻了几遍，依然没有找到任何痕迹。

绝望带来的恐惧感一阵阵地袭来，菲尔普斯几乎要昏过去了。如果文件真的找不回来，那他简直不敢想象后果会有多严重！万一文件落入居心不良的人手里，那他就不只是要丢了工作，甚至可能会成为**全英国的罪人**。

菲尔普斯浑浑噩噩地回到乡下的家里，大病了一场，整个人变得神志不清，幸好有未婚妻安妮细心地照顾着他。原本安排给安妮的哥哥约瑟夫住的那间房，临时被用作菲尔普斯的**病房**。

可怜的菲尔普斯昏昏沉沉地躺了九个星期，直到三天前才总算清醒了一些。他给苏格兰场的福布斯警探拍了封电报，打听了案件的情况，结果让他失望极了。案子一点儿进展也没有。看门人的太太身上找不到什么新的线索，警方又把目标转向了那天下班较晚的戈罗特先生，可是，在他身上也没发现什么疑点。

菲尔普斯只好抱着最后一线希望，给华生写下了那封**求助信**。

福尔摩斯双眼微闭，头向后仰，沉默了好一会儿才突然开口问道：“我有一个问题，菲尔普斯先生，你曾经把文件的事告诉过其他人吗？”

菲尔普斯疲倦地摇了摇头，说：“绝对没有，我知道这份文件的重要性。”

“就连未婚妻也没告诉吗？”

菲尔普斯很肯定地说：“没有。我接到这个任务之后，还没来得及回家呢。所以，她跟我其他家人一样，对这件事一无所知。”

“嗯。”福尔摩斯点了点头。“我和华生这就回伦敦去。我会去找福布斯警探多了解些情况。”他边说边站了起来，“我不敢保证一定能查出真相，但无论结果如何，明天我们都会过来看你。”

在回伦敦的火车上，福尔摩斯沉默不语，沉浸在思考中。过了好一会儿，他才突然开口道：“这个案子非常复杂，可以说是扑朔迷离。不过，我已经有了**两个调查方向**。”

华生问道：“哪两个呢？”

“第一个方向：我们去找福布斯警探，听听他是怎么询问看门人夫妇的。”

“这是当然的。那另一个方向呢？”

福尔摩斯微笑了一下，说：“另一个方向：我们要去拜访一下那位**勋爵**，也就是菲尔普斯先生的舅舅。根据菲尔普斯的说法，知道他当晚要在办公室抄写文件的只有两个人，除了他自己之外，就是勋爵本人了。”

华生脸上露出了不可置信的表情：“你怀疑勋爵自己偷走了文件？”

“一切皆有可能，华生。谁知道会不会有什么不可告人的隐情呢。”

出门前，福尔摩斯在报纸上登载了一则广告：

> **5月23日晚上九点半，外交部门口的马车上下来一位乘客。有见过那位乘客的，请把消息送到贝克街221B的公寓，可得赏金十英镑。**

华生忍不住皱起眉头，问：“你怎么知道那个窃贼一定是坐马车来的呢？”

福尔摩斯轻松地回答道：“那天晚上一直在下雨，菲尔普斯说现场没有发现任何**脚印**，所以窃贼绝不可能是步行来到外交部的。不过，我怎么也想不通一件事……那个贼既然是来偷东西的，为什么还要按铃？是故意示威？还是有别的什么原因呢？”

带着这些疑问，他们找到了苏格兰场的福布斯警探。这名警探五短身材，面相看起来有些刻薄。一开始他对福尔摩斯很不友好，得知他是来帮助自己的，才客气了一点儿，但是他没能提供什么有用的线索。看门人的太太的口供没什么问题。那天她之所以代替丈夫上楼去，是因为看到丈夫太累了。后来她慌慌张张地走过街道，是因为那天下班太晚了，她想早点回家去。福布斯警探甚至派出女警探跟踪了她一段时间，但没发现任何异常情况。警方对那天较晚下班的戈罗特先生也监视了起来，还是没有任何进展。

福尔摩斯喃喃地说："起码福布斯警探帮我们排除了两个嫌疑人。现在我们该去会会那位尊贵的勋爵了，不知是否是他自己出卖了文件，又栽赃给自己的亲外甥呢？"

勋爵是一位器宇轩昂的英国贵族，身材修长瘦削，脸部轮廓分明，长着一头灰白的鬓发，看起来和蔼可亲。他微笑着请福尔摩斯坐下，说："久仰大名了，福尔摩斯先生。你来找我有什么事吗？"

"事实上，我们是受菲尔普斯先生之托，前来调查一桩失窃案的。我能问您几个问题吗？"福尔摩斯用锐利的目光紧紧盯着勋爵，勋爵镇定地点了点头。

"您是在这间办公室里给菲尔普斯先生分配任务的吗？"

"是的。"

"这间办公室有可能被人偷听吗？"

"绝对不可能。"

“那您有没有把这件事告诉过其他任何人呢？”

“从来没有。”

“那就太奇怪了。”福尔摩斯挑了挑眉，继续问道，“您和菲尔普斯先生都没有泄露机密。难道这个窃贼纯属偶然闯进办公室，顺手拿走了文件？”

勋爵耸了耸肩，说：“这我就不知道了。”

福尔摩斯又盯着他看了一会儿，问：“对了，勋爵先生，这份文件要是有人拿去卖的话，一定很**值钱**吧？”

勋爵**不假思索**地回答道：“那当然，很多敌对国都愿意花大价钱买这份情报。但有一件事很奇怪……”勋爵突然露出了困惑的表情。“到目前为止，我还没听说哪个国家拿到了这份文件。十个星期过去了，难道那个窃贼还没有把它卖掉？再过一些日子，这份文件就不是秘密了，它会变得**一文不值**。”

福尔摩斯的双眼猛然亮了起来，他说：“这条线索非常重要，谢谢您。我的问题都问完了。我们这就告辞了。”

第二天一早，福尔摩斯和华生又坐火车来到了乡下。菲尔普斯的脸色看起来比昨天好了不少，见福尔摩斯来了，他满怀期待，迫不及待地站起来问：“有消息了吗，福尔摩斯先生？”

福尔摩斯摇了摇头，说：“好消息还没有，不过我得到了一些线索。”

“有进展就有希望。”菲尔普斯没有太沮丧，但他坐下的时候，脸上突然露出恐惧的表情，“我有一件很重要的事要告诉你！昨晚……**有人想杀我**！”

福尔摩斯显然十分震惊，他**情不自禁**地叫了一声：“啊！你把详细情况说一下。”

“咳咳。”菲尔普斯咳了两声，开始讲起了昨天晚上惊魂的一幕，“是这样的，昨晚我感觉身体恢复了不少，所以就没让人陪着，自己在卧室里睡觉，但是睡得很浅。大约凌晨两点，一阵**窸窸窣窣**的奇怪声响把我吵醒了。起初我以为是老鼠，可那声音越来越大，越来越刺耳。我突然意识到，这是有人在撬我的窗户哪！后来，声响停了十分钟左右，可能那人是想看看我醒了没有。接着，一阵轻轻的吱吱呀呀的声音又响了起来。我再一看，天哪！窗户正被慢慢推开。我再也按捺不住了，一骨碌从床上爬了起来，向窗口冲去。月光下，我看到一个蒙面人蹲在窗台上，手里还拿着一把**明晃晃的刀**！看到我突然出现，他立刻转身跑掉了。”

福尔摩斯坐直身体追问道：“后来呢？”

“后来，我按铃叫来了约瑟夫，他又叫醒了所有的仆人。虽然我们没抓到那个家伙，但是约瑟夫说，他们在花园里发现了可疑人的脚印，木头栅栏那边，有一处栅栏尖被碰断了，应该是那人翻栅栏的时候不小心弄的。”

福尔摩斯站了起来，在屋里来来回回地踱着步子。过了好一会儿，他突然停了下来，说：“菲尔普斯先生，麻烦你让约瑟夫先生带我们去花园里看看吧，我想检查一下这些痕迹。”

“没问题。”菲尔普斯叫来约瑟夫，他们一起来到花园里。然而，这里的脚印已经非常模糊，什么也看不出来了。福尔摩斯又仔细检查了**栅栏上的小缺口**。他若有所思地看着

约瑟夫，指着栅栏说：“你确定这是昨晚弄断的吗？这个痕迹看起来不像新的。”

约瑟夫愣了一下，回答道：“是吗？我也不太懂这些……”

福尔摩斯不再问问题了，而是突然拉起华生，加快了脚步，把菲尔普斯和约瑟夫远远甩在后面。

他急匆匆地回到卧室，走到安妮小姐面前，压低声音严肃地说：“安妮小姐，我需要你帮我一个忙。从现在开始，一刻不离地守在这间屋子里，无论发生什么都不要离开。等晚上回自己房间睡觉时，一定要从外面把房门锁好，并保管好钥匙。”

安妮茫然地看着福尔摩斯，说：“我会照做的，可是，这对查案有什么帮助吗？”

“**非常重要**，事关菲尔普斯的前程。”

这时，落后的两个人也跟上来了。菲尔普斯苦恼地问道：“现在我们该怎么办呢，福尔摩斯先生？”

“首先，为了你的安全，我希望你离开这里，跟我们一起去伦敦。”

菲尔普斯看起来松了一口气，说：“我没意见。我的身体好多了，说不定在伦敦还能帮上忙呢。”

这天中午，他们三人一起来到了火车站。可就在火车临出发之前，福尔摩斯**出人意料**地突然改口道："我还有些事要处理，不能跟你们一起回伦敦了。菲尔普斯先生今晚可以住在贝克街我的房间里。你们千万不要擅自行动。明天早上等我的消息吧。"

两人点头答应了，可谁也想不通，福尔摩斯葫芦里到底卖的是什么药。

回到贝克街，随着时间一分一秒地流逝，菲尔普斯越来越不安，他问华生："福尔摩斯到底打算干什么呢？"

华生拍了拍他的肩膀，说："我很了解福尔摩斯。他在掌握了一点儿线索，但又不能确定的时候，就会**沉默寡言**，一个字也不肯说。我们还是早点休息，等他的消息吧。"

事实上，这一晚上他们俩翻来覆去，谁也没睡好。第二天一早，福尔摩斯回来了。他的衣服又脏又乱，左手上还缠着一条绷带，看起来**筋疲力尽**。昨晚他一定是彻夜未眠。

华生连忙迎了上去，说："天哪，福尔摩斯，你的手受伤了？"

福尔摩斯低头看了一眼，说："哦，没什么，只是破了点皮。相比这个，我的肚子实在是饿坏了，早餐准备好了没有？"

正说着，房东太太刚好把早餐送上楼来。福尔摩斯一言不发，坐下就开始狼吞虎咽起来。菲尔普斯**垂头丧气**地坐在旁边，他想，福尔摩斯一定是失败了，自己的前程没希望了。

福尔摩斯**若无其事**地抬起头问道：“菲尔普斯先生，你要吃哪份早餐？咖喱鸡还是火腿蛋？”

菲尔普斯摇了摇头，说：“我什么也吃不下。”

福尔摩斯劝说道：“你这样可不行啊！来吧，把你面前的那份吃了吧。”

菲尔普斯重重地叹了一口气，说：“唉，我实在是没有胃口。”

福尔摩斯眨了眨眼，朝旁边那份还盖着盖子的早餐努了努嘴，说：“你真的不打算接受我的好意吗？”

菲尔普斯无奈地打开盖子。“啊！”他尖叫一声，盖子砰地掉在了桌上。他的脸色变得像餐盘一样雪白。面前的那只盘子里，哪有什么早餐，只有一卷蓝灰色的**文件**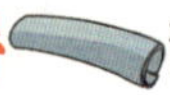静静地躺在那里。这不就是他弄丢的秘密文件吗？菲尔普斯抓起文件，激动得像疯了一样，手舞足蹈地大喊大叫：“太好了！太好了！”

他一把握住福尔摩斯的手，不停地说：“哦，你拯救了我，福尔摩斯先生！你拯救了我！哦，天哪！”

好不容易，他的情绪稍稍平复下来，才问道：“快告诉我，你是怎么找到它的？警察找了整整十个星期，都一无所获啊！”

福尔摩斯喝了一口咖啡，点燃了**一斗烟**，慢悠悠地说：“我从火车站离开后，就回到了你家，趁着夜色钻进了你卧室后面的花园里。我的衣服就是那时候弄脏的。安妮小姐按我的吩咐，从白天起就一直待在你的房间里，直到晚上十点，才锁好房门回自己的卧室去睡觉。我一直在花园里等着。唉，大半夜蹲守真是无聊得很！但是，又有一种渔夫守在河边等鱼儿上钩的感觉。到了凌晨两点，鱼儿果然上钩了！约瑟夫先生来到了窗外，手里拿着**一把刀**。”

菲尔普斯不可置信地叫道：“约瑟夫?!”

福尔摩斯点了点头，说：“嗯。他把刀子插进窗框，很快就撬开窗户，钻了进去。我在外面静静地观察着，看见他点燃蜡烛，卷起地毯，小心翼翼地揭起一块地板，拿出**一卷文件**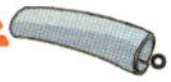。门从外面锁上了，他只能再翻窗户出来，正好撞到我身上。呵呵，你的这位亲戚比我想象的凶狠多了。”福尔摩斯抬起了缠着绷带的那只手说，“我手上的伤口就是拜他所赐。我们搏斗了起来，最后还是让他给跑了。但是文件呢，被我拿到手了。”

菲尔普斯愣住了，不敢相信自己的耳朵，他**语无伦次**地说：“约……约瑟夫？你是说，这十个星期以来，这份文件一直藏在我的卧室里？”

“没错。”福尔摩斯解释道，“根据我的调查，约瑟夫在炒股时亏了一大笔钱，为了弄到钱，他什么坏事都干得出来。文件失窃那晚，你不是和他约好了要一起回家吗？你因为加班，迟迟没去火车站，所以，约瑟夫就来外交部找你了。”

菲尔普斯喃喃地说：“所以……他来找我的时候，刚好我

去问咖啡的事，不在办公室。”

福尔摩斯点了点头，说：“他看屋里没人，就按响了铃，希望你能听到。可就在这时，他注意到了桌上的文件，发现是非常重要的国家机密。这时他就动起了**歪脑筋**：它一定可以卖到不少钱。他立刻把文件装进口袋，飞快地离开了外交部。他这段时间不都住在你家嘛，他一回去，就把文件藏在了自己认为很安全的地方，也就是**卧室的地板下面**。”

菲尔普斯猛地反应过来，惊呼道：“啊！后来我病了，把约瑟夫住的房间改造成了我的病房。”

福尔摩斯点了点头，说：“对。所以，这十个星期以来，这个房间都热闹得很，不仅你住在里面，而且有其他人陪着你。他始终找不到机会把文件从地板下取出来，简直快急疯了。这不，在你第一次独自睡觉的那晚，他再也等不下去了，就蒙着面，想撬开窗户爬进卧室，没想到被你发现了。”

华生这时也恍然大悟：“所以你让菲尔普斯离开乡下，不只是为了他的安全着想，同时也是为了**引蛇出洞**，引诱约瑟夫再次出手，对吧？难怪你让安妮小姐白天一直守在屋里，这样，他就只能等到晚上再动手，正好被你**逮了个正着**。福尔摩斯，你可真聪明啊！”

菲尔普斯还沉浸在震惊中，他愣愣地抬起头，看向福尔摩斯，说：“约瑟夫……他撬窗进来也不一定非要用那么长的刀吧？他那天晚上……是不是本来打算……杀我灭口？”

“现在事情都结束了。”福尔摩斯耸了耸肩说，“不过，我可以毫不怀疑地告诉你，约瑟夫绝对不是一个会**大发慈悲**的正人君子。”

最后一案

福尔摩斯突然来到华生家，神情紧张，面容憔悴。原来，他和大坏蛋莫里亚蒂的战争已经到了最关键的时刻！福尔摩斯邀请华生一起出国旅行，以防遭到莫里亚蒂的暗算。华生无论如何也想不到，在旅行终点等待他们的，竟然是一场性命攸关的悲剧……

1891 年 4 月的一个晚上，福尔摩斯突然来到华生家里。他脸色苍白，看起来疲惫不堪，人又瘦了一圈。

华生还没反应过来，福尔摩斯径直走到窗前，把窗户牢牢锁上，然后对华生说："亲爱的华生，实在不好意思，这么晚打扰你。我最近遇到了一点麻烦事，不得不小心行事。"他在华生对面坐下来，拿出一支雪茄，说："能借我一根火柴吗？"

华生把火柴递给福尔摩斯，仔细审视着他苍白的脸，问道："出什么事了，福尔摩斯？你是不是在躲什么人？"

福尔摩斯点燃雪茄，朝华生伸出一只手。他的两根手指受了伤，正在流血。

华生惊叫道："啊，你受伤了！这……这到底是怎么回事？"

福尔摩斯摇了摇头，说："这点伤不算什么。你太太不在家吗？"

"她出门访友去了，这几天都不会回来。"

福尔摩斯似乎松了一口气，说："那太好了。我可以心安理得地邀请你和我一起出国旅游了。"

华生困惑极了，说："我很乐意和你一起旅游。可是，你总该告诉我，到底发生了什么吧？"

福尔摩斯用胳膊肘支着膝盖，沉默了半天，才开始解释道："你听说过**莫里亚蒂教授**吗？他是我这辈子见过的最狡猾、最歹毒的罪犯。这个人太厉害了！"

华生从来没听福尔摩斯用这样惊叹的语气提到一名罪犯，连忙追问道："莫里亚蒂教授？他是个什么样的人物？"

福尔摩斯尽量舒展一下身体，说："他是个**数学天才**，前段时间，他还光明正大地在大学里当数学教授呢！他最可怕的地方，就是永远**躲在幕后进行操控**，而从来不会让警察查到自己头上。

"你还不知道吧？这些年来，伦敦城里许多没能侦破的案子，都跟他有关系。我是怎么发现的呢？哼哼，就算他再狡猾，也有露出狐狸尾巴的时候。我把伦敦城那些悬案仔细地梳理了一遍，终于发现，有些线索绕了无数个弯之后，最终就指向了他——莫里亚蒂！不得不说，他真是犯罪界的天才啊！他就像一只含有剧毒的**蜘蛛**，坐在一张大网中间，不用自己动手，但每一根蛛丝都是他的势力。我意识到，只扳倒莫里亚蒂一个人是不行的，要打倒他，就必须把他的所有手下**一网打尽**。所以，我花了整整三个月的时间，去搜集证据。不得不承认，他真是个**势均力敌**的对手。”

说着说着，福尔摩斯突然变得兴奋起来：“告诉你吧，我终于抓住了他的一个漏洞。现在，我已经在他周围布下了**天罗地网**。三天！华生，只要再过三天，这个莫里亚蒂教授和他的党羽，就会被苏格兰场连根拔起。少了这个人，伦敦城的犯罪活动起码会减少一半！”

华生听得入了神。福尔摩斯突然深深吐出一口气，说：“今天早上，我已经做好了最后的部署。就在这时，我的房门突然开了，走进来的，正是莫里亚蒂教授本人。”

华生倒吸了一口凉气，继续听福尔摩斯讲述事情的经过。

福尔摩斯口中的这个莫里亚蒂教授，长得又高又瘦，两眼凹陷，脸色有些苍白，气质倒确实像一位**文质彬彬**的大学教授。不过，他的背有些佝偻，脖子向前伸，眼睛里偶尔闪过一丝阴险邪恶的光芒。

福尔摩斯一眼就认出他来了，飞快地拉开抽屉，抓起**手枪**塞进衣兜，手指轻轻扣住了扳机。站在他面前的莫

里亚蒂突然笑了起来，从容地说：“福尔摩斯先生，我不得不提醒你，在睡衣口袋里摆弄手枪是一件很危险的事。”

福尔摩斯掏出手枪，啪地放在桌上，平静地说：“教授，你如果想对我说什么，我愿意给你五分钟时间。”

莫里亚蒂两眼死死地盯着福尔摩斯，说：“你应该知道我想说什么。”

福尔摩斯面无表情地说：“那你也应该知道，我的回答是：绝不可能。我一定要把你**送进监狱**！”

“那真是太可惜了，福尔摩斯先生！”莫里亚蒂摆出一副十分遗憾的样子说，“你是我见过的最聪明的人，如果不是你

一而再，再而三地坏我好事，我真的一点儿也不想伤害你。说说看，你为什么一定要置我于死地呢？”

福尔摩斯毫不畏惧地昂起头，说：“教授，你威胁我是没用的。为了社会的安宁，我宁可和你同归于尽。”

莫里亚蒂的面色瞬间阴沉下来：“同归于尽？那是痴心妄想。在我庞大的势力面前，福尔摩斯先生，你就像一只不自量力的蚂蚁。你只会把自己撞碎，却撼动不了我的一根汗毛。给你的忠告就这么多了，你好自为之吧。”

说完，莫里亚蒂扭头大步离开了福尔摩斯的公寓。

华生听到这里，着实为福尔摩斯捏了一把冷汗，他紧张地问道：“那你为什么不叫警察盯住他呢？”

“没用的，华生。他不会亲自动手，只会叫他的手下来谋害我。”福尔摩斯心平气和地说，“今天中午，我走到一个十字路口，一辆马车像闪电一样朝我冲了过来。幸好我及时跳开，躲过了一劫。我走到人行道上，可走着走着，头顶上突然掉下一块砖，在我脚边摔得粉碎。要是我走得稍微偏一点儿，那块砖就正好砸中我的脑袋了。后来，我叫了辆马车，到我哥哥那里躲了一段时间。就在刚才，我来你家的路上，又被一个拿棍子的家伙袭击了。我制服了他，但也弄伤了手指，流了点儿血。警察抓走了那个暴徒，不过我敢肯定，没人能查出他和莫里亚蒂教授之间有什么关联。”

华生听得全身**毛骨悚然**：“天哪，我真佩服你现在还能如此镇定。你今晚要住在我家吗？”

福尔摩斯坚决地摇了摇头，说：“不了！我留在你这里，会给你带来危险。哼，如今啊，伦敦城里处处都有人想要我的命。既然这样，我还不如出国避避风头，对吧？所以，我才邀请你一起**出国旅游**。”

华生爽快地说：“我们什么时候出发，明天吗？”

“明天早上。不过，为了甩开莫里亚蒂教授的眼线，你必须完全按我说的做。听好了！”福尔摩斯的表情严肃起来，“首先，我要你今天晚上就派人把行李送到火车站。明天一早，你雇一辆马车，但千万不要雇第一辆和第二辆主动来招揽生意的马车。坐马车到劳瑟街的尽头，再用最快的速度跑到街道另一头，那里会有另一辆马车在等你。车夫披着黑斗篷，领子上镶着红边。他会把你带到火车站。我已经给咱俩买好了票，就在倒数第二节车厢。”

华生一字不落地把这些话记在心里。第二天一早，他完全按照福尔摩斯的指示，辗转换了不同的马车，来到火车站。他毫不费力地找到了自己的行李，又找到倒数第二节车厢。可是，他左看右看，哪里也没有福尔摩斯的影子。

再过几分钟，火车就要开了！华生伸长脖子，在**熙熙攘攘**的人群中寻找着好朋友那瘦长的身影。但是，他始终没有出现。华生忍不住打了个寒战："他不会是昨晚……出什么意外了吧？"

华生额头直冒汗，根本不敢再往下想。这时，一位白发苍苍的意大利**老神父**走进了这节车厢。他好像是遇到了什么困难，激动地跟乘务员说着什么。但是他英语说得不太

好，似乎交流得很困难。华生走过去帮他解了围。让他感到意外的是，老神父跟着他回到了座位上，就坐在自己对面。

“不好意思……”华生犹豫着说，“那是我一个朋友的座位。”

就在这时，嘀——汽笛响了，火车所有的车门同时关了起来，发出沉重的哐当声。华生的心里也咯噔一下：福尔摩斯真的没来！

他不死心地继续看着窗外，却瞥见对面的老神父冲他咧嘴一笑：“亲爱的华生，你还没跟我说早上好呢。”

华生猛地转过头来仔细盯着对方。他满脸的皱纹一眨眼就消失不见了，呆滞的双眼也变得**炯炯有神**。

“福……福尔摩斯？天哪！你吓死我了。”华生激动得差点站了起来，“虽然我知道你化装的水平很高，但也没必要这么吓我吧？”福尔摩斯左右张望了一下，压低声音说：“嘘——莫里亚蒂教授可能还在附近。哦，天哪，你看那边……”华生扭头一看，只见一个身材高大的家伙冲出人群，冲着火车不停**挥手**。然而，火车已经开动了，不一会儿，那个人影就被远远甩在后面。

福尔摩斯这才稍稍放松下来，说："刚才那位，就是莫里亚蒂教授本人！好了，我们现在暂时安全了！对了，华生，你看今天早上的报纸了吗？"

华生摇了摇头。福尔摩斯若无其事地说："哦，他们昨晚在贝克街放了**一把火**，我们的房子被烧了。"

"什么？"华生听后气得两眼冒火，啪地拍了一下桌子，"他们太猖狂了！"

福尔摩斯耸了耸肩，说："我猜，他们是因为追踪不到我，**气急败坏**了。幸好，他们昨晚没发现我去了你家，不然，你家估计也不会风平浪静。"

"不管怎么说，我们在火车上，已经甩掉他们了。"华生说。

"那可不一定。"福尔摩斯平静地反驳道，"如果我是他，就会花钱专门雇一列火车来追赶我们。呵呵，我想，他也会这么干的。"

华生猛地瞪大了眼睛，问："那我们该怎么办？"

"不要慌，我都已经准备好了。"福尔摩斯不慌不忙地说，"我们的托运行李上写着的目的地是法国巴黎。这正是我布下的**迷魂阵**。莫里亚蒂教授一定会派人守在巴黎。所以，就让行李自己去巴黎吧，我们中途下车，再换一列火车到瑞士去。”

“你准备得可真充分哪！”华生看着福尔摩斯，赞叹道。到了下一站，他们俩抛下行李，直接下了火车。突然，福尔摩斯拉着华生躲到一堆箱子后面，小声说：“你看，莫里亚蒂教授的车来了。”

华生定睛一看，一列火车**轰隆轰隆**地开过来了，紧跟在他们刚刚乘坐的那列火车后面，一缕黑烟从车头徐徐升起。华生有些后怕地打了个冷战，说：“要是被他们抓到……”

“他一定会杀了我的。”福尔摩斯轻松地回答道，“不过，危机已经暂时过去了，我们先找个饭馆吃顿饭吧。”

当天晚上，福尔摩斯和华生就离开了英国，开始了在欧洲大陆的**跨国旅行**。在这期间，福尔摩斯给伦敦警方发了一封电报，很快就收到了回电。他拆开扫了一眼，生气地吼了一声，接着把电报纸揉成一团，用力丢进了壁炉里。

华生担心地问道：“怎么了，福尔摩斯？”

“苏格兰场的警探真是太没用了！哼，他们抓住了莫里亚蒂教授的手下，却让他本人跑了！”

过了一会儿，他镇定下来，说：“华生，你现在最好立刻回英国，留在我身边太危险了。莫里亚蒂教授一定会不顾一切来找我报仇的。”

“不！”华生激动地说，“我绝对不会丢下你一个人的！你可是我最好的朋友啊！”

“可是……”

华生斩钉截铁地摇了摇头，说：“别再提了，我说什么也不会离开你的。”

福尔摩斯无奈地耸了耸肩。他们俩继续旅行。沿途风景迷人，但华生看得出来，福尔摩斯一刻也没有忘记莫里亚蒂教授的事。他总是用警惕的目光观察身边所有人，每一个陌生人都有可能是莫里亚蒂教授的手下。

有一次，他们俩徒步穿过一个山谷，突然，一块大石头从右边的山脊上咕噜咕噜地滚了下来，然后咕咚一声，滚落到他们身后的湖里。福尔摩斯一秒钟也没有犹豫，他像离弦的箭一样飞奔上山，站在山顶左右张望。遗憾的是，他没有发现任何可疑的人。他们的向导表示，这座山上经常有松动的石头滚落下来，应该不是有人故意这么干的。福尔摩斯点了点头，不过，他心里显然并不这么认为。

华生很担心福尔摩斯会因为过度紧张而伤了身体。福尔摩斯平静地说："我并不是怕死，华生。在伦敦做侦探的这些年里，我经手了一千多件案子，帮助了很多人。回顾这一生，我可以说是**问心无愧**。如果我必须**付出生命的代价**才能除掉莫里亚蒂这个全欧洲最危险、最有本事的罪犯，那也算死得其所。只是，我不能在除掉他之前就丢掉性命。"

看着福尔摩斯的表情，华生一句话也说不出来。他隐隐约约地感到，危险离他们越来越近了。

5月份，他们来到瑞士的一个小村庄，在一家旅店住了一晚。第二天下午，他们打算到对面的村里去。出发之前，旅店老板热情地提醒他们："半山腰上有一个大瀑布，叫**莱辛巴赫瀑布**。虽然附近的地势有些险峻，但瀑布的景色壮美极了，你们一定要过去看看！"

两人没有拒绝老板的好意，**翻山越岭**来到山顶上。这里果然是一幅壮丽非凡的景象。从山顶俯瞰，黢黑的岩石像被斧子劈开了似的，裂开一道巨大的石缝。瀑布沿着峭壁奔腾而下，浓密的白色水帘激烈地晃动着，经久不息地发出雷鸣般的巨响。谷底绿色的深渊被瀑布冲击着，水花飞溅，空中弥漫的水雾就像房子失火时冒出的烟雾那么浓烈。福尔摩斯和华生来到半山腰，站在瀑布边，凝视着下方翻腾的水花，倾听着深渊发出的怒吼般的轰鸣声，不觉有些**头晕目眩**。

山坡上有一条狭窄的小路，一边是陡峭的悬崖石壁，另一边是飞流直下的瀑布。福尔摩斯和华生沿着那条路走了一段，突然，身后跑过来一个本地少年，手里挥舞着**一封信**，朝他们喊道：“福尔摩斯先生——华生先生——”

两人接过信一看，只见信封上盖了一个印章，正是他们刚刚离开的那家旅店的印章，而信上的落款是旅店老板。信上说，旅店里来了一位英国女士，患有严重的肺结核。几个小时之前，她的病情恶化，开始咳血了。她非要英国医生来才肯看病，无论如何都不肯接受瑞士医生的救治。老板救人心切，只好写信来求助华生医生。

华生拿着信，心里非常犹豫。他不愿意把福尔摩斯一个人丢在这里，但是，又不能不管那位**生命垂危**的英国女士。最后，华生只好对送信的少年说：“能不能麻烦你暂时留下，陪在福尔摩斯身边？我看完病之后，很快就来跟你们会合。”

“没问题。”少年点了点头说。华生**心急如焚**地跑下山去。跑出几步后，他回头看了一眼，福尔摩斯正抱着胳膊，背靠着山石，一动不动地低头看着瀑布的激流。华生无论如

何都想不到，这会是他与福尔摩斯的最后一面。

华生飞快地跑下山。中途，他看到远处有个人影沿着山坡快步往上移动。当时华生只想着快去快回，并没有把这事放在心上。

一个小时之后，华生回到了旅店，店主正站在门边。华生连忙冲上去问道："那位女士怎么样了？"

店主茫然地抬起头，问："什么女士？你怎么回来了？你的同伴呢？"

华生打了个冷战，慌忙从怀里掏出**那封信**，说："不是你给我写的信吗？说有一位重病的英国女士……"

店主使劲摇了摇头，说："我没写过什么信。哦，你们走后，来了一个高个子的英国人，这信可能是他写的。"

华生的心猛地一沉，他立刻转身，用尽浑身力气拼命往山上赶去。一定是莫里亚蒂教授！他来找福尔摩斯报仇了！华生忍不住在心里**责怪自己**：怎么能把福尔摩斯一个人丢在那么危险的地方？那个送信少年会不会是莫里亚蒂教授的手下？

上山的路跑起来很艰难，华生花了两个多小时，终于回到了莱辛巴赫瀑布边。然而，那里**空无一人**，只有福尔摩斯的登山手杖静静地靠在一块石头上。

“福尔摩斯——福尔摩斯——”华生扯着嗓子大声呼喊，但耳边传来的，只有阵阵回声。华生在原地呆呆地站了好久，努力让自己冷静下来，回想福尔摩斯以前教他的观察和推理技巧。

福尔摩斯的登山手杖还在这里，说明他不是主动离开的。狭窄的小路上，有**两排清晰的脚印**一直通向小路的尽头，而且地面上并没有返回的脚印。在离小路尽头，也就是瀑布边缘几米远的地方，路面被踩得泥泞不堪，周围的野草都被踩倒、扯乱了，这里应该发生过一场激烈的搏斗。

华生的心脏怦怦直跳。他想：“福尔摩斯和莫里亚蒂教授在这里打起来了？最后谁赢了？”他直起身，又一次大声呼唤：“福尔摩斯——你在这里吗？”

没有人回答，只有瀑布一刻不停地咆哮着：“**轰隆**——**轰隆**——”

就在这时，华生突然看到登山手杖靠着的那块石头上，有什么东西在**闪闪发光**！华生定睛一看，原来是福尔摩斯随身携带的银烟盒。烟盒下面，压着几张折得很小的纸条。华生打开一看，发现是福尔摩斯的亲笔信：

亲爱的华生：

我写下这封信的时候，莫里亚蒂教授就站在我的对面。我知道我接下来的行为一定会让你十分难过，但是，亲爱的朋友，我不得不做这件正义的事。我曾经告诉过你，我一点儿也不惧怕即将到来的死亡，和莫里亚蒂这样的罪犯同归于尽，对于一个侦探来说是最好的结局了。

有一件事我必须向你坦白，那位少年送信来的时候，我已经看穿这是一场骗局。但是，为了让你远离即将到来的危险，我并没有拆穿他。对了，回到伦敦之后，请帮我转告苏格兰场的帕特森警探，我调查到的所有证据，都放在贴着“M”标签的文件架上，那里有个蓝色的信封，上面写着莫里亚蒂的名字。至于我的所有财产，在离开伦敦前，我就交给我哥哥迈克罗夫特处置了。最后，代我向华生夫人问好！

你最亲爱的朋友：福尔摩斯

华生双手颤抖地拿着信，翻来覆去读了好几遍。过了好一会儿，他双腿终于支撑不住自己的身体，一下瘫坐在了地上。

后来，警察对现场进行了仔细勘查。他们断定，福尔摩斯和莫里亚蒂在搏斗中，互相扭打着，最后同时摔下了山崖。

没过多久，伦敦警方利用福尔摩斯收集到的证据，把莫里亚蒂的许多手下都送进了监狱。然而，他们始终没能在瀑布底下找到任何人的尸体。当代最杰出的侦探和最危险的罪犯，就这样永远地留在了**莱辛巴赫瀑布**。

那么，福尔摩斯探案的故事就这样结束了吗？不！还有更多的传奇故事，留在了华生的笔下……

Sherlock Holmes

小侦探挑战赛

趣味小知识

亲爱的小朋友，你对福尔摩斯本人了解多少呢？让我们一起来做一组闯关小游戏吧！

初级闯关

1. 福尔摩斯第一次见到华生时，正在（　　）的实验室里做实验。

A. 一座博物馆　　B. 一家医院　　C. 一所俱乐部

2. 和华生合租之后，福尔摩斯经常在（　　）做化学实验。

A. 楼下的商店里　　B. 华生的诊所里

C. 贝克街 221B 的公寓里

3. 福尔摩斯虽然很注意个人卫生，但生活习惯相当随性。据《回忆录》中描述，他经常把（　　）塞在拖鞋里，在公寓里堆满了（　　），有时甚至把化学药品放在（　　）里。

A. 烟叶　　B. 案件的手稿　　C. 装着黄油的盘子

4. 福尔摩斯被人称作“犯罪案件的活字典”。他保存了许多罪案资料，还编了一份目录方便查找。下面的相关说法对吗？

(1) 在《波希米亚传闻》中，福尔摩斯从资料里迅速查到了艾琳的简历。（　　）

(2) 在《最后一案》中，他从资料里找出莫兰上校的简历给华生看。（　　）

5. 福尔摩斯很擅长拉小提琴，能演奏高难度的曲子，还经常即兴作曲。下面的相关说法对吗？

(1) 当手头的案子陷入困境时，福尔摩斯经常能从拉小提琴中获得灵感。（　　）

(2) 有时候，一个案子结束后，福尔摩斯会拉一首曲子让自己放松心情。（　　）

进阶闯关

1. (多选题) 福尔摩斯观察力超群，总能在那些看似普通的线索中找出案件的关键信息。下列选项中，哪些是福尔摩斯破案时常用到的线索呢？请把答案填在括号里。

(　　　　　　　　)

A. 案发现场的脚印　　B. 报纸上的文章

C. 暗号和密码　　D. 烟头和烟灰

E. 小猫　　F. 血迹

2.（判断题）下列有关福尔摩斯的说法对吗？

(1) 福尔摩斯脑力超群，他把人的大脑比作一间阁楼，容量无限。（ ）

(2) 福尔摩斯精通许多探案知识，知识渊博，天文地理无所不知。（ ）

(3) 福尔摩斯的经典形象之一是他经常戴着一顶猎鹿帽。但猎鹿帽并不是作者柯南·道尔发明的。（ ）

(4) 福尔摩斯和华生的故事一定是真实发生过的，因为伦敦一直都有贝克街 221B 这个地址。（ ）

真相

答案揭晓：

初级闯关

1.B 2.C 3.A B C 4.(1) √ (2) × 5.(1) √ (2) √

进阶闯关

1. A B C D F 2.(1) × (2) × (3) √ (4) ×

真相

进阶闯关判断题答案解析：

⑴ 福尔摩斯认为人的大脑容量是有限的，要想记住更多有用的知识，就必须忘记一些无用的知识。

⑵ 福尔摩斯能说出别人裤子上的泥点来自什么地方，却不知道地球绕着太阳转。他曾对华生说：“就算地球绕着月亮转，这对我的工作又有什么用呢？”

⑶ 插画师西德尼·佩吉特最先给福尔摩斯画上了猎鹿帽。此后，这顶帽子深入人心，弄得柯南·道尔本人也不得不举手投降了。

⑷ 福尔摩斯的探案故事刚发表时，英国的贝克街上还没有221B这个门牌号呢！直到1990年，才有人在这条街上建起了福尔摩斯博物馆，按照小说的描述复原了贝克街221B。现在还有很多福尔摩斯迷往这个地址寄信呢。亲爱的小朋友，你要不要也试试看？

Sherlock Holmes

大侦探福尔摩斯

图书在版编目（CIP）数据

大侦探福尔摩斯．回忆录／（英）柯南·道尔（Arthur Conan Doyle）著；喵博士改编．—南京：译林出版社，2022.4（2022.6重印）
ISBN 978-7-5447-8992-9

Ⅰ.①大… Ⅱ.①柯… ②喵… Ⅲ.①侦探小说－小说集－英国－现代 Ⅳ.①I561.45

中国版本图书馆CIP数据核字（2021）第260735号

大侦探福尔摩斯：回忆录［英国］柯南·道尔／著
喵博士／改编

策　　划　彭　波　龚文宇
本册撰写　何　敏　冯　帆　田银亚
责任编辑　朱旭玲
装帧设计　宸唐工作室
校　　对　孙玉兰　蒋　燕
插　　图　妙象童画
责任印制　颜　亮

出版发行　译林出版社
地　　址　南京市湖南路1号A楼
邮　　箱　yilin@yilin.com
网　　址　www.yilin.com
市场热线　025-86633278
排　　版　宸唐工作室
印　　刷　南京新世纪联盟印务有限公司
开　　本　890毫米×1240毫米　1/32
印　　张　4.5
版　　次　2022年4月第1版
印　　次　2022年6月第3次印刷
书　　号　ISBN 978-7-5447-8992-9
定　　价　28.00元

SHERLOCK HOLMES